제2판
교원임용 교육학
논술대비

최원휘 SELF 교육학

미라클모닝 300제

최원휘 저

PREFACE
이 책의 머리말

수험기간 동안 저를 두렵게 했던 것은
'제대로 알고 있나?'라는 불확실성과
'혹시 모르는 문제가 나오면 어떡하지?'라는 불안감이었습니다.

그런 두려움이 애써 만들어 온 저만의 루틴을 깨뜨리기도 했고,
그로 인해 슬럼프에 빠지기도 했습니다.

합격하던 해,
저는 그 어떤 해보다 많은 문제를 풀었습니다.
컨디션이 조금 좋지 않은 날에도,
날씨가 마음에 들지 않은 날에도,
언제나 문제 풀이로 하루를 시작했습니다.

다양한 문제를 풀어보면서 제가 잘하는 부분과 보충해야 할 부분을 확실하게 알 수 있었고,
많은 문제를 풀어보면서 그 어떤 문제가 나오더라도 풀 수 있다는 자신감을 얻을 수 있었습니다.
그리고 어떤 상황에서도 흔들리지 않을 단단한 루틴을 만들었습니다.

최원휘
SELF 교육학
미라클모닝 300제

돌이켜 보건대 매일 똑같았던 평범한 아침이
저를 합격으로 이끈 '미라클모닝'이었다는 생각이 듭니다.

임용시험을 준비하는 선생님들도 합격의 기적을 경험했으면 하는 마음을 담아 이 책을 만들었습니다.
부족한 부분을 확인할 수 있도록 파트별 핵심 이론을 문제로 구현하였고,
현장형 문제에 대한 불안감을 줄일 수 있도록 평가원의 출제 원칙, 최근의 출제 경향을 모두
반영하고자 했습니다.

합격이라는 미라클을 위해
고민 끝에 엄선한 300문제가 합격의 기적을 현실로 만들어줄 것이라 확신합니다.

이 책이 나오기까지 함께 문제를 고민해주고 검토해주었던 아내와
언제나 행복한 마음이 들도록 응원해주는 두 공주 솔이, 별이에게
사랑한다는 말을 전합니다.

최원휘 드림

INTRO
출제경향 분석 및 학습방법

I. 중등 임용 교육학 시험 기본사항

1 중등 임용시험 일정

○ **(시험 절차)** 시험 공고 및 접수(10월) → 1차 시험(11월) → 2차 시험(1월) → 합격자 발표(2월)

▪ 중등 임용시험 절차

사전 예고	본 공고 및 접수	1차 시험	2차 시험	합격자 발표
6~8월	10월	11월	1월	2월

○ **(1차 시험 일정)** 교육학(1교시) → 전공(2, 3교시)

▪ 1차 시험 당일 세부 일정

시험 과목		유형	문항 수	시간	배점
교육학		논술형	1문항	1교시 09:00~10:00(60분)	20점
전공	A	기입형/서술형	4문항/8문항	2교시 10:40~12:10(90분)	40점(8점/32점)
	B	기입형/서술형	2문항/9문항	3교시 12:50~14:20(90분)	40점(4점/36점)

2 교육학 출제 과목 및 범위

○ **(교육학)** 교육학 논술은 1문항(1개의 대주제)으로 출제하되, 문항 내에서 4개 내외의 세부 문항(4개의 소주제) 출제

▪ 교육학 출제 범위 및 내용

구분	출제 범위 및 내용	배점
내용	교육부 고시 제2025-10호(2025.03.04.)의 [별표2] '교직과목의 세부 이수기준'에 제시된 교직이론 과목 ※ 교육학개론, 교육철학 및 교육사, 교육과정, 교육평가, 교육방법 및 교육공학, 교육심리, 교육사회, 교육행정 및 교육경영, 생활지도 및 상담	15점
구성 및 표현	논술의 내용과 주제 연계(3점) + 표현의 적절성(2점)	5점

최원휘
SELF 교육학
미라클모닝 300제

2 출제경향 분석

1 출제경향 변화

◆ 교육학 논술 도입(2014학년도) 이후 **"이론의 현장 적용형"**으로 출제유형 안정화

○ (도입기: 2014~2016) 이론의 **개념, 명칭, 특징, 장단점**을 묻는 **이론형 문제** 중심
   ※ 굳이 지문을 읽지 않아도 풀 수 있는 문제 다수
○ (조정기: 2017~2020) 지문은 **현장형**(신문기사, 대화, 메모 등)으로 변화하였으나 **문제는 여전히 이론형**
○ (변화기: 2021~2023) 이론과 개념을 활용한 **교수전략, 실행방안, 지원방안** 등을 묻는 **현장형 문제** 중심
○ (확립기: 2024~) 이론형과 현장형 문제의 비중 균형, 문제 내 조건*이 다양해지고, 보다 **구체적**** 답안을 요구
   * "~의 측면에서 서술", "~와 함께 작성", "~일 때 순기능과 역기능", "~와 비교되는 특징"
   ** 구체적 실천사례, 예시

┌─ 중등 임용 교육학 출제 원칙(KICE) ─┐
- 중등학교 교사에게 필요한 전문 지식과 자질을 종합적으로 평가
- 학교 교육현장에서 **실제적으로 적용할 수 있는 지식, 기능, 소양**을 종합적으로 평가
- 지식·이해·적용·분석·종합·평가·문제해결·창의·비판·논리적 기술 등을 종합적으로 평가하기 위하여 다양한 문항 유형으로 출제

2 주요 출제 영역

○ (출제 파트) 교육과정, 교육방법, 교육평가, 교육행정은 매해 출제되며 **교육심리는 2~3년에 한 번씩** 출제
   ※ 2023학년도의 경우 교육심리이론을 활용한 교수전략 출제

학년도별 출제경향 분석

구분	교육철학 및 교육사	교육과정	교육방법	교육평가	교육심리학	생활지도 및 상담	교육행정학	교육사회학
2025	-	Tyler 모형	Jonassen 모형	준거참조평가의 가정	-	-	Katz 리더십	-
2024	-	잠재적 교육과정	온라인 수업	능력참조평가, CAT	-	-	학운위	-
2023	-	경험중심, 학문중심	-	형성평가, 타당도	자기효능감, 자기조절	-	관료제	-
2022	-	교육과정 재구성	Dick & Carey 모형, 원격수업	진단평가, 총평관	-	-	학교중심 연수	-
2021	-	Snyder 모형	원격수업, 매체활용	자기평가	-	-	의사결정모형	-
2020	-	영 교육과정	앵커드, 위키 기반	-	Vygotsky	-	학교문화	-
2019	-	Tyler 모형, 잠재적 교육과정	-	신뢰도, Likert 척도	Gardner 다중지능	-	변혁적 지도성	-
2018	-	Walker 모형	PBL	절대평가	-	-	동료장학	-
2017	-	내용 조직 원리	구성주의	타당도	-	-	교육기획	-
2016	-	경험중심	-	형성평가	Erikson, Bandura	-	비공식조직	-
2015 (상)	-	-	ISD 모형	절대평가	-	-	학교조직	기능론
2015	자유교육	백워드 모형	학습동기	-	-	-	학습조직	-
2014 (상)	-	학문중심	-	-	-	행동중심, 인간중심	장학	비행이론
2014	-	잠재적 교육과정	협동학습	형성평가	-	-	교사 지도성	문화실조

3 교육학 답안 작성방법

1. 문제 읽는 법과 초안 작성법

> **— 2024년 첨삭답안 분석결과**
>
> | 공통적인 장점 |
> ① 출제가 유력한 이론의 경우 **기본적인 개념·특징을 묻는 단순 인출문제**는 손쉽게 작성
> ② **빈출 파트**(교육과정, 교육방법, 교육행정)의 기출이론에 대해서는 내용 숙지도가 높음
>
> | 보완 필요사항 |
> ① 암기한 내용을 그대로 묻지 않는 경우 **문제에 맞게 암기내용을 변형하는 능력 부족**
> ② 문제의 핵심(출제자의 의도)을 놓치고 **지나치게 이론 중심으로만 답안 서술**
> ③ 실행방안, 전략 등을 물어보는 경우 답안의 **구체성 부족**
> ④ 장단점 등을 묻는 문제의 경우 **근거가 모호하여 논리성 부족**

1 문제 읽는 법

- (방법 1) 대주제 → 소주제 → 지문 → 소주제
- (방법 2) 대주제 → 지문 → 소주제

> (Tip 1) 자신의 글 읽는 속도에 따라 방법을 선택하되, 소주제와 지문을 계속 왔다갔다 읽는 것은 금물
> (Tip 2) 문제를 읽으면서 바로 초안 작성

2 초안 작성법

- (작성 시간) 최대 10분
  ※ **(시간 배분)** 문제 읽기(5분) → 초안 작성(10분) → 서론 작성(3분) → 본론 작성(40분) → 결론 작성(2분)
- (작성 방식) 키워드 중심 개조식 작성
  ※ 단, 초안 작성 속도가 현저히 느리면 문제지에 바로 작성 가능
- (작성 절차) ① 큰 주제를 읽으면서 **초안 틀 작성**
  ② 문제(세부문항)를 읽으면서 **초안 밑그림**
  ③ 지문을 읽으면서 답을 내고 **초안 완성**

초안 작성 예시 : 2025학년도 기출

초안 틀	초안 밑그림	초안 완성
서론	큰 주제의 중요성, 글의 방향	
교육과정	· 교육철학 적용	① (사례) 동교과협의회를 통하여 교육목표의 학습가치 확인 ② (이유) '내재적 가치 추구'라는 교육의 기본에 충실한 목표 설정을 위하여
	· 학습심리학 적용	① (사례) 진단평가 등의 결과를 바탕으로 학습자 수준에 부합하는 목표 확인 ② (이유) 학습할 가능성이 있는 목표 설정을 위하여
교육방법	· Jonassen 모형 문제	① (특성) 맥락, 표상, 조작공간 ② (역할) 학습을 실생활과 관련지어 새로운 학습을 유도
	· 교사 지원활동 사례	① 학습수행을 모니터링하고 피드백을 제시하는 코칭 ② 힌트나 방향을 제시해주는 스캐폴딩
교육평가	· 준거 설정 방법	성취기준 분석을 통하여 교사가 주관적으로 점수를 설정하는 앵고프 방법
	· 평가의 기본 가정	① 학습자의 잠재능력 개발 가능성 존중 ② 평가의 지속성과 연속성 ③ 평가의 종합성 고려
교육행정	· Katz 리더십능력 명칭 · 능력의 실천 사례	인간적 기술 ① 교사학습공동체를 통한 수업나눔 ② 교직원회의를 통한 학내 규칙 수립
결론	정리, 교사 노력	

2. 답안 작성법

잘 쓴 답안의 특징

① **(첫인상)** 주제의 중요성과 방향을 분명하게 밝혀주는 서론
② **(연계성)** 전체적인 글의 완성도가 높은 답안(4가지 구성요소)
③ **(가시성)** 묻는 것을 정확히 드러내는 답안
④ **(부합성)** 문제 내 조건, 지문의 방향을 정확히 캐치하는 답안
⑤ **(구체성)** 현실 적용 가능한 구체적 방안
⑥ **(구조성)** 다양한 측면에서 접근하는 방안
⑦ **(정리)** 간단하게 언급하는 결론

1 주제의 중요성과 방향을 분명하게 밝혀주는 서론

- ○ **(작성 시간)** 3분 내외
- ○ **(작성 내용)** 큰 주제의 중요성 + 글의 방향(4가지 구성요소)
    - ※ **(유의점)** 무조건 4차 산업혁명, 인구절벽, 감염병 위기 등을 언급하며 글을 시작하는 경우가 많은데, 지문·문제가 이와 관련 없는 경우 서론부터 어색함을 유발

2 전체적인 글의 완성도가 높은 답안(+문법 준수)

- ○ **(문단 간 연계성)** 도입어, 도입문장 활용
    - ※ **(도입어)** '우선', '먼저', '다음으로', '이어서', '마지막으로' 등
    - ※ **(도입문장)** 큰 주제와 연계되는 문장, 소주제의 방향을 설명해주는 문장
- ○ **(문장 간 연계성)** 적절한 **연결어, 접속어** 활용
    - ※ (예시) '이를 통해', '따라서', '또한', '한편' 등
- ○ **(큰 주제와의 연계성)** 마지막 한 문장으로 연계성이 확보되는 것이 아니라, 전체적인 답을 대주제와 관련지을 때 연계성 확보 가능
    - ※ (Tip) 장단점, 필요성 등은 우선 대주제의 관점에서 생각해보기

3 묻는 것을 정확히 드러내는 답안

- ○ **(수사 활용)** 2개 이상을 묻는 경우 '**첫째**', '**둘째**' 등의 수사 활용
- ○ **(묻는 것 중심의 서술)** 문제에서 묻는 것을 답안에서 강조
    - ※ (예시) 경험중심 교육과정의 "특징은" 첫째, a이다.

4 문제 내 조건, 지문의 방향을 정확히 캐치하는 답안

- ○ **(강조 표시)** 답의 방향을 결정해주는 내용의 경우 눈에 잘 띄게 표시(동그라미 등)하고 답을 쓸 때도 반드시 언급
    - ※ (예시) 학교 내 실현방안, 테크놀로지 활용방안

5 현실 적용 가능한 구체적 방안

- ○ **(요소)** 분명한 목적(Goal) + 목적 달성을 위한 수단(Tool)
    - ※ (예시) 온·오프라인 학생상담을 통하여(**수단**) 학습자의 정의적 특성을 파악할 수 있다(**효과**).

6 다양한 측면에서 접근하는 방안

- ○ **(방법)** 자주 출제되는 파트 및 문제 유형별로 나만의 사고의 틀과 답안의 틀 마련
    - ※ (예시) 특정 이론·방법의 교육효과(학습자의 인지+정의), 교육평가(평가의 기능·평가의 관점·양호도), 교수학습전략(도입+전개+정리), 행정상 지원방안(인적+물적)

7 간단하게 언급하는 결론

- ○ **(작성 시간)** 2분 내외
- ○ **(작성 내용)** 글의 정리(핵심 키워드 중심) + **제언**(교사의 노력)

CONTENTS
이 책의 차례

PART I 교육철학 및 교육사

Chapter 01 교육의 기초 … 14
Chapter 02 한국교육의 역사 … 16
Chapter 03 서양교육의 역사 … 17
Chapter 04 교육철학에 대한 이해 … 20

PART II 교육과정

Chapter 01 교육과정의 기본적 이해 … 28
Chapter 02 교육과정 논의의 역사 … 33
Chapter 03 교육과정의 유형 … 36
Chapter 04 교육과정의 개발 및 설계 … 43
Chapter 05 교육과정의 운영 및 평가 … 53
Chapter 06 우리나라의 교육과정 … 55

PART III 교육방법

Chapter 01 교수학습 및 교육공학의 이해 … 62
Chapter 02 교수학습이론 … 65
Chapter 03 교수설계 … 76
Chapter 04 교수매체에 대한 이해 … 80
Chapter 05 교수학습 실행 … 83
Chapter 06 디지털 대전환 시대
　　　　　　새로운 교수학습방법 … 86

PART IV 교육평가

Chapter 01 교육평가의 기본적 이해 … 92
Chapter 02 교육평가의 유형 … 93
Chapter 03 평가방법의 선정과 활용 … 98
Chapter 04 컴퓨터화 검사와 수행평가 … 102
Chapter 05 교육연구방법론 … 104

PART V 교육심리학

Chapter 01 교육심리학의 기본적 이해
Chapter 02 학습자에 대한 이해 ⋯ 108
Chapter 03 학습자의 동기 ⋯ 114
Chapter 04 학습자의 발달 ⋯ 119
Chapter 05 교수학습의 이해 ⋯ 124

PART VII 교육행정학

Chapter 01 교육행정의 기본적 이해: 교육행정 총론 ⋯ 144
Chapter 02 교육행정의 구체적 이해 ①: 동기이론 ⋯ 146
Chapter 03 교육행정의 구체적 이해 ②: 지도성이론 ⋯ 149
Chapter 04 교육행정의 구체적 이해 ③: 조직이론 ⋯ 153
Chapter 05 교육행정의 구체적 이해 ④: 의사소통이론 ⋯ 161
Chapter 06 교육행정의 실제 ⋯ 163
Chapter 07 학교 및 학급경영 ⋯ 170

PART VI 생활지도 및 상담

Chapter 01 생활지도와 진로지도 ⋯ 134
Chapter 02 정신건강과 학생상담 ⋯ 138

PART VIII 교육사회학

Chapter 01 교육사회학의 기본적 이해
Chapter 02 교육사회학이론 ⋯ 176
Chapter 03 교육과 평등 ⋯ 180
Chapter 04 교육과 경쟁 ⋯ 183
Chapter 05 교육과 문화 ⋯ 185
Chapter 06 평생교육 ⋯ 187

부록 최원휘 SELF 교육학 마인드맵

※ 차례는 기본서와 동일함. 단, 관련 문항이 없는 경우 제목만 표기하였음

문제 일람표

영역 구분		문제 번호
교육의 기초	교육의 비유	1
	교육의 목적	2
	교육의 이념	3
교육사	한국교육사	4~5
	서양교육사 — 고대의 교육	6~7
	서양교육사 — 중세 및 근대의 교육	8~11
교육철학	교육철학 사조	12~15
	현대의 교육철학	16~20

최원휘 SELF 교육학
미라클모닝 300제

I

교육철학 및 교육사

Chapter 01 교육의 기초 001 ~ 003

| 모범답안 해설 p.006 |

001 교육의 비유

각 교사들의 입장에 부합하는 교육 방법 각 1가지, 각 교육 방법이 갖는 교육적 효과 1가지를 학습자 측면에서 제시(4점)

> 사회자 : 교육을 무엇으로 비유할 수 있을까요?
> A 교사 : 아이들은 어떤 모양으로든지 만들 수 있는 진흙과 같은 존재입니다. 따라서 일정한 내용을 주입하면 그 사회가 원하는 인간으로 만들 수 있어요.
> B 교사 : 저는 그런 생각에 반대해요. 아이들은 꽃이라고 생각합니다. 꽃의 종류마다 적합한 환경, 일조량 등 생육조건이 다른 것과 마찬가지로 교사들은 학생에 맞는 교육환경을 마련해줘야 합니다.

002 교육의 목적

각 교사가 강조하는 교육목적 달성을 위해 교수설계 시 고려해야 할 점을 교사별로 각 1가지, 이때 진술할 수 있는 수업 목표의 예시를 교사별로 각 1가지(4점)

> A 교사 : 교육목적은 크게 내재적 목적과 외재적 목적으로 구분된다고 하는데 B 선생님의 생각은 어떠세요?
> B 교사 : 우리나라에서 진로·진학이 중요하다고는 하지만 교육이 단지 직업을 얻기 위한 수단만은 아니라고 생각해요. 학생들이 교육을 통해 인격적으로 성장하고, 비판적 사고를 기르며, 다양한 분야에 대한 이해를 넓히는 것이 더 중요해요.
> A 교사 : 그렇죠. 그렇다고 해도, 현실적으로 학생들이 사회에 나가서 잘 적응하고 성공할 수 있도록 준비시켜주는 것도 무시할 수 없는 부분이에요. 학생들이 미래에 필요한 기술과 지식을 배우지 못하면 큰 문제가 될 수 있잖아요.

003 교육의 이념

헌법 제31조 제1항에서 보장하는 2가지 가치의 교육적 의의 각 1가지, 교육 현장에서 해당 가치를 추구할 수 있는 실천 방안을 가치별로 1가지 (4점)

> 헌법 제31조 제1항은 "모든 국민은 능력에 따라 균등하게 교육받을 권리를 지닌다"라고 명시하고 있다. 즉, 교육의 형평성(equity)과 수월성(excellence)은 헌법으로부터 보장받은 핵심 가치라고 할 수 있다. 따라서 교육 현장에서는 어느 하나만을 추구하는 것이 아니라 두 가치가 모두 발현될 수 있도록 노력해야 한다.

Chapter 02 한국교육의 역사 004 ~ 005

| 모범답안 해설 p.008 |

004 한국교육사 2022년도 행시 제3문 응용

지문에 언급된 강경(講經) 방식과 같은 시험방식을 현재 교육 현장에 적용할 때 문제점 2가지, 제술(製述) 방식과 같은 시험방식을 현재 교육 현장에 적용할 때 유의해야 할 점 2가지를 서로 다른 이유와 함께 제시 (4점)

> 판부사(判府事) 변계량이 상서하여 말하기를, "문과의 [초시] 초장(初場)에서 강경(講經)으로 시험하는 것은 옳지 못함이 한두 가지가 아닙니다. … (중략) … [과거 시험의] 초장에서 강경하는 것은 곧 배우는 자로 하여금 오로지 기송(記誦, 기억하여 욈)과 훈고(訓詁, 자구의 해석)에 힘쓰게 하여, 뜻이 좁고 기운이 졸렬하여져서 마침내는 성리(性理)의 심오한 뜻에 통하지 못하며, 글 짓는 재주 또한 조잡하고 좀스러워져서, 대체로 배우는 자의 큰 병폐가 되니 실로 사문(斯文, 유학)을 떨쳐 일으키는 방법이 아닙니다. 또한 강경은 시험관과 응시자가 대면하게 되는데 어찌 사심(私心)이 없겠다고 할 수 있습니까. 따라서 제술(製述, 시문을 지음)로써 시험을 치루는 것이 합당합니다."

005 한국교육사

다음의 교육개혁안에서 강조하는 교육목적이 갖는 특징 2가지, 해당 교육개혁안을 현대적으로 해석하는 경우 교수설계 시 반영할 수 있는 교육 내용과 교육 방법의 예시 각 1가지 (4점)

> 아! 백성을 가르치지 않으면 나라를 굳건히 하기가 매우 어렵다 … (중략) … 교육은 실로 나라를 보존하는 근본이다. 그러므로 짐이 임금과 스승의 자리에 있으면서 교육하는 책임을 스스로 떠맡고 있다. 교육에는 또한 그 방도가 있으니, 허명(虛名)과 실용(實用)의 분별을 먼저 세워야 할 것이다. 책을 읽고 글자를 익히어 고인(古人)의 찌꺼기만 주워 모으고 시대의 큰 형국에 어두운 자는 문장(文章)이 고금(古今)보다 뛰어나더라도 쓸모가 전혀 없는 서생(書生)이다.

Chapter 03 서양교육의 역사 006 ~ 011

006 고대의 교육

발표문에서 교장이 지향하는 교육관에 근거한 교육이 갖는 장점과 단점 각 1가지, 이 교육관에 따라 교육과정을 설계하는 경우 강조점을 목표 설정, 내용 선정 측면에서 각 1가지(4점)

> 존경하는 교직원 및 학부모 여러분,
> 내년 우리 학교의 교육 방침을 발표하게 되어 기쁩니다. 우리 학교는 입시 중심의 교육을 탈피하면서 자유교육(Liberal Education)을 지향하고 있습니다. 따라서 우리 학교는 학생들이 지식의 아름다움과 깊이를 체험하면서 정신적으로 성숙한 인재로 성장할 수 있도록 아낌없이 지원해 나갈 것입니다.

007 고대의 교육

소크라테스(Socrates)의 문답법에 근거하여 A 교사의 질문 방식 설명, 교실 내에서 질문 수업을 진행할 때 교사의 유의점 3가지(4점)

> A 교사 : 저는 수업 중에 학생들과의 질의응답을 많이 활용합니다. 이때 단순히 특정 지식의 암기 여부를 묻는 것이 아니라 학생들이 진정한 진리에 다가갈 수 있도록 질문합니다. 특히 학생들은 아직 고정관념을 가진 경우가 많기 때문에 질문을 통해 고정관념을 깨뜨리고, 그 이후에 새로운 진리에 다가갈 수 있도록 질문합니다.

008 중세 및 근대의 교육

B 교사가 언급한 코메니우스(J.A. Comenius)의 교육방식이 갖는 교육적 효과 2가지, 해당 교육방법을 적용한 구체적 수업사례 2가지(4점)

> A 교사 : 요즘 들어 수업 시간에 잠을 자는 학생들이 많아지고 있어요. 제가 너무 책으로만 수업해서 그런 것 같기도 한데, 어떻게 하면 좋을까요?
>
> B 교사 : 저는 요즘 시청각 자료를 적극적으로 활용하려고 해요. 사실 코메니우스라는 교육학자가 이미 17세기부터 이런 방식을 강조했거든요. 그는 감각적 실학주의라는 것을 강조하면서, 학생들이 직접 보고, 듣고, 경험하면서 배워야 한다고 주장했어요. 그가 만든 책 중 하나가 바로 ≪세계도회(Orbis Pictus)≫인데, 이는 그림과 글을 함께 담은 최초의 아동용 교과서라고 할 수 있어요.
>
> A 교사 : 아, 그러니까 단순히 글로만 배우는 게 아니라, 이미지를 함께 보면서 배우는 방식을 생각해 낸 거네요?
>
> B 교사 : 맞아요! 다음 수업에서 한번 적용해 보시면 좋을 것 같아요.

009 중세 및 근대의 교육

루소(J. Rousseau)의 자연주의 교육원리 중 2가지를 활용하여 A 교사의 교육방식 비판, 루소의 ≪에밀(Emile)≫에 근거할 때 청소년기에 적합한 교사의 역할 2가지(4점)

> A 교사 : 저는 그동안 학생들을 미성숙하다고만 생각하고 무엇을 어떻게 공부해야 할지 제 계획에 맞춰서, 그리고 교과서에 충실한 교육을 진행했는데, 이런 방식이 루소의 교육관에 비추어 볼 때 바람직하지 못했던 것 같네요. 루소의 ≪에밀≫을 다시 한번 보면서 루소가 말한 청소년기 학생의 특징을 고려하여 적절한 교사의 역할을 모색할 예정이에요.

010 중세 및 근대의 교육

다음의 내용을 참고하여 교육의 목적으로서 헤르바르트(J. Herbart)가 강조한 흥미의 명칭, 이러한 흥미를 유발하기 위한 구체적 교수·학습 활동 2가지(3점)

> 일반적인 의미에서의 흥미란 '무엇을 하고 싶다'는 욕망과 관련되어 있다. 그러나 헤르바르트는 '무엇이 어떻게 되어있는가'와 같이 아는 것에 머무는 것을 흥미라고 보았다. 즉, 헤르바르트는 흥미를 어떤 것을 위한 수단이 아니라 흥미 그 자체로 목적이 될 수 있다고 생각하였다. 이러한 흥미는 단순한 호기심을 넘어 학습 내용에 감정적으로 공감되거나, 인류가 지금까지 품어 온 생각의 총체를 넓혀줄 때 발생할 수 있으므로 기존의 욕망을 불러일으키는 교수법과 다른 형태로 자극해야 한다.

011 중세 및 근대의 교육

A 교사가 언급한 교수론에 근거할 때 명료화 단계 이후에 실시할 수 있는 구체적 교수·학습 활동의 예시와 교육적 효과를 단계별로 각 1가지(3점)

> A 교사: 이번 연수를 통해 헤르바르트(J. Herbart)의 4단계 교수론을 알게 되었는데, 현대에도 이를 활용할 수 있을 것 같아요. 그동안 제 수업은 학생들이 새로운 지식을 분명하게 알 수 있도록 그림과 같은 시각 자료 제시에 초점을 두었는데, 이는 4단계 교수론 중 명료화 단계에만 해당한다는 것을 알게 되었어요. 보다 고차원적인 교육 목표를 달성하기 위해서 앞으로는 명료화 단계 이후의 교수·학습 활동도 적용할 계획이에요.

Chapter 04 교육철학에 대한 이해 012 ~ 020

012 교육철학 사조

'기초 학력 보장'이라는 측면에서 A 교사가 이전에 가졌던 교육철학 사조의 주된 교육 방법과 한계 각 1가지, A 교사가 새롭게 관심을 갖게 된 교육철학 사조의 목적과 교육 방법 각 1가지 (4점)

> A 교사: 학습자 중심의 교육이 강조되면서 저도 학생의 흥미와 관심을 고려한 교육을 강조하는 교육철학을 갖고 있었어요. 그런데 요즘 아이들이 기본적인 소양, 기초적인 개념을 갖추지 못한 경우가 많다는 것을 알게 되었어요. 그래서 요즘에는 학생의 흥미와 관심도 좋지만 전통적으로 내려오는 문화유산으로서 가르칠 만한 것은 가르치자는 교육철학에 관심이 생기더라고요.

013 교육철학 사조

다음은 어떤 교육협회가 강령으로 내세운 내용이다. 이 교육협회가 추구한 교육철학 사조의 명칭과 교육목적 1가지, 이러한 강령을 적용한 교실 수업 방안 2가지 (4점)

> 〈7대 강령〉
> ① 학생이 외적 권위에 지배되지 않고 자연적으로 발전할 수 있는 자유를 갖게 하여야 한다.
> ② 흥미는 모든 학습활동의 동기가 되어야 한다.
> ③ 교사는 학생의 모든 활동을 고무하고 적절한 정보를 제공하는 안내자가 되어야 한다.
> ④ 학생의 신체, 지성, 덕성, 사회성을 포함하는 종합적인 지도에 도움이 되어야 한다.
> ⑤ 학생의 신체적 발달에 영향을 주는 모든 것, 즉 학교의 시설, 환경, 인적 조건에 더 큰 관심을 가져야 한다.
> ⑥ 학생의 욕구를 충족시키기 위하여 학교와 가정 간에 긴밀한 협조가 있어야 한다.
> … (하략) …

014 교육철학 사조

각 교사가 전제하는 교육철학 사조에 근거할 때 학습경험 선정의 기준을 교사별로 각 1가지, 수업 시 교사의 역할을 교사별로 각 1가지(4점)

> A 교사 : 저의 교육철학은 학생이 스스로 경험하고 탐구할 수 있는 기회를 많이 주는 것이에요. 학생들이 직접 활동하면 어려운 내용도 점차 이해하고 문제해결능력과 같은 고차원적 사고능력도 발휘할 수 있게 돼요.
>
> B 교사 : 선생님 말씀에 어느 정도는 동의해요. 하지만 과거로부터 이어져 오는 문화유산과 같은 기본 내용을 습득하지 않으면 심화 능력을 발휘하는 데 한계가 있습니다. 기초 위에서 학생들이 성장할 수 있는 접근이 필요합니다.

015 교육철학 사조

다음의 제안에 근거하여 교육을 실행할 때 교육 내용의 특징 1가지, 제안에서 제시한 수업 목표를 달성하기 위한 교실 수업 운영 방안 3가지(4점)

> 지금의 교육은 사회·경제적 배경에 따라 차별적으로 제공되고 있다. 지나치게 직업 훈련과 시험 대비에 치우쳐 있고 민주사회에 필요한 본질적 능력은 교육 목표로 삼지 않고 있다. 최상의 교육은 모두에게 제공되어야 할 교육이며, 학교 교육은 단지 생계를 위한 것이 아니라 삶을 살아가는 능력을 기르는 것과 관련 있어야 한다. 즉, 교육의 궁극적 목적은 시민으로서의 삶을 준비하는 데 있으며 이를 위해 수업은 정보를 습득하고, 기능을 습득하며, 이해와 판단력을 기르는 데 목표를 두어야 한다.
>
> — 아들러(M. Adler), 「파이데이아 제안」, 1982. —

016 현대의 교육철학

지문에서 제시된 이전의 교육방식이 갖는 문제점 2가지, 새로운 교육방식의 구체적 적용 방안 2가지(4점)

> 부버(M. Buber)는 이전의 교육방식이 '나-그것의 관계'에 집중한다고 보았다. 이때 교사는 학생을 객체화하고 하나의 사물이나 수단으로 보게 되는데, 이는 교육적으로 바람직하지 않다고 평가하면서 교사와 학생이 '나-너의 관계'를 형성해야 한다고 보았다. 즉, 학생들을 도구적 존재가 아닌 독립적인 인격체로 인정하면서 교육 현장이 교사와 학생 간 직접적 만남의 장(場)이 되어야 한다고 강조하였다.

017 현대의 교육철학

교육에 관한 허스트(P.H. Hirst)의 변화된 입장에서 전제하는 지식과 학습자에 대한 관점 각 1가지, 교실 현장에서 허스트의 변화된 입장을 적용하는 구체적 교육 방법 2가지(3점)

> 나는 초기 저작에서 자유교육을 지식의 형식에의 입문과 동일시했다. 그러나 지금 생각해보면 그것은 너무 협소한 관점이었다. … (중략) … 나는 이제 교육에 관한 입장을 변화시키고자 한다. 우리가 사람들을 입문시켜야 하는 것은 단순한 지식 자체가 아니라, 지식이 내재된 다양한 이성적·사회적 실천들이다. 교육의 목적은 개인이 사회 내 공적·사적 실천에 지적으로 참여할 수 있도록 돕는 것이어야 한다.
>
> — 허스트(P.H. Hirst), 「자유교육과 지식의 본성: 회고」, 1993. —

018 현대의 교육철학

B 교사가 언급한 합리적 의사소통의 조건 1가지와 이를 실천하는 수업사례 1가지, 프레이리(P. Freire)의 의식화 교육론에 근거할 때 C 교사가 언급한 교육의 명칭과 이때 교사의 역할(4점)

> A 교사: 교육을 통해 알게 모르게 사회적 불평등이 재생산되었던 것 같아요. 따라서 비판적 능력을 길러주는 교육이 필요할 것 같은데 어떤 방법이 있을까요?
> B 교사: 아무래도 의사소통을 활용한 교육이 필요하다고 봐요. 기존처럼 타인을 설득 또는 지배하기 위한 의사소통이 아니라 하버마스(J. Habermas)가 강조한 합리적 의사소통의 방식으로 교육이 이루어져야 할 것 같습니다.
> C 교사: B 선생님 말씀에 동의해요. 학생들이 사회현실을 비판적으로 인식할 수 있게 도와주는 교육이 필요하다고 봐요.

019 현대의 교육철학

다음을 강조한 현대 교육철학 사조에 따른 교수설계 시에 반영할 수 있는 수업 목표 2가지, 해당 목표를 달성하기 위한 교육자원 2가지를 서로 다른 교육 방법과 함께 제시(4점)

> 이 교육철학 사조는 기존의 보편성과 진리 중심의 교육관을 비판하며, 다양성·상대성·맥락성을 중시한다. 이는 단일한 지식이나 절대적 기준을 강조하기보다는, 다양한 문화와 관점을 인정하고 학습자 개개인의 경험과 해석을 존중하는 교육을 지향한다. 이때 교사는 지식을 전달하는 권위자가 아니라, 의미를 함께 구성해 가는 동반자적 존재로 간주된다.

020 현대의 교육철학

'실천성을 갖춘 인재의 육성'을 고려했을 때 기존 모더니즘적 인성교육의 한계 1가지, 이에 대한 대안으로 A 교사가 언급한 접근을 반영한 인성교육의 특징 3가지 (4점)

> A 교사 : 학생의 전인적 성장이 강조되면서 인성교육의 중요성 역시 높아지고 있습니다. 그러나 그간의 우리 교육은 모더니즘적 입장에서 이루어졌던 것이 사실입니다. 모더니즘 교육의 지식 위주 교육이 실제적으로 효과가 있었는지는 의문입니다. 따라서 우리는 균형과 포괄, 연관을 강조하는 홀리스틱적 접근에 따라 인성교육을 실시할 필요가 있습니다.

MEMO

문제 일람표

영역 구분			문제 번호
이해	의미와 성격		21~22
	구분		23~27
	공식적 교육과정 구분		28~30
역사	교육과정의 역사		31
	패러다임의 전환		32
	이해 패러다임		33~35
유형	교과중심		36~40
	학습자중심		41~43
	사회중심		44~45
	역량중심		46~48
개발	기본적 이해		49~50
	전통적	Tyler	51~52
		Taba	53~54
		백워드설계	55~57
	대안적	Walker	58
		Eisner	59~61
		교육과정 재구성 SBCD	62~63
	일반적 설계원리		64~66
	통합 교육과정		67~68
운영	기본, 운영 관점		69
	CBAM 모형		70
평가	평가모형		71~72
정책	2022 개정 교육과정		73~77
	고교학점제		78~79
	교·수·평·기 일체화		80

최원휘 SELF 교육학
미라클모닝 300제

II

교육과정

Chapter 01 교육과정의 기본적 이해 021 ~ 030

021 교육과정의 의미

A 교사가 강조하는 관점에 따라 교육과정을 운영할 때 기대할 수 있는 교육적 효과 2가지, 이러한 관점에 근거하여 교육과정 운영 시 고려해야 할 원칙 2가지(4점)

> A 교사 : 교육과정을 운영하기 이전에 먼저 교육과정의 본질적 의미에 대해서 생각해볼 필요가 있습니다. 교육과정은 말이 달리는 길이라는 뜻의 라틴어 '쿠레레(currere)'에서 유래하는데, 이는 다시 말이 달리는 '코스'에 초점을 두는 접근과 말이 달리는 행위, 즉 '달리기'에 초점을 두는 접근으로 나뉩니다. 현재 교육환경에서는 목표 달성이라는 결과뿐 아니라 그 과정이 중시되는 것을 감안하면 후자에 따라 교육과정을 운영하는 것이 바람직하다고 생각됩니다.

022 교육과정의 성격

다음의 공문을 참고했을 때 학교 교육과정 편성 시 고려해야 할 요소 3가지를 각각 서로 다른 고려 방법과 함께 제시(3점)

> 우리 학교 교육과정위원회 위원님께.
> 최근 교육과정 재구성을 위한 논의 과정에서 몇몇 위원님들께서 교육과정의 성격에 대해 혼란을 느끼고 계셔서 안내해 드립니다. 최근 교육과정의 자율화가 강조되면서 학교별 특색 있는 교육과정이 강조되고 있는 것은 사실이지만, 단위 학교 교육과정 또한 엄연히 공익을 위해 편성·운영하는 공식적 교육과정입니다. 따라서 교육에 관한 다양한 요구와 국가의 교육적 가치 및 목표가 균형 있게 반영되어야 한다는 사실을 잊지 마시기 바랍니다.

023 교육과정의 구분

전문가가 언급한 공식적 교육과정 범위 확대가 갖는 교육적 의의 2가지, 교육과정 대강화 상황에서 단위 학교의 교육과정 편성·운영 방향 2가지(4점)

> 전문가 : 예전에는 공식적 교육과정의 범위가 국어, 수학 등 교과에서 다루는 내용을 중심으로 결정되었지만 최근에는 자율·자치 활동, 동아리 활동, 진로 활동까지 그 범위가 확대되고 있습니다. 그러면서도 이것이 학생들의 학습 부담이나 국가의 통제 강화로 이어지지 않도록 국가 교육과정에서는 기본적인 사항만 큰 틀 정도로 제시하는 교육과정 대강화를 강조하고 있습니다. 따라서 단위 학교는 이런 상황을 고려하여 교육과정을 편성·운영해야 할 것입니다.

024 교육과정의 구분

A 교사가 언급한 교육과정 유형이 발생한 구체적 예시 2가지, 해당 교육과정 유형을 고려할 때 수업 준비 시 교사가 확인해야 할 사항 2가지(4점)

> A 교사 : 수업을 하다 보면 내가 의도하지도 않았고, 계획하지도 않았는데 학생들이 학습하게 되는 것들이 있더라고. 이런 것들이 긍정적일 때도 있지만 부정적인 결과가 나올 수도 있으니까 수업을 준비할 때부터 이런 교육과정이 발생할 수 있는 원천을 확인해야겠어.

025 교육과정의 구분

다음에서 제시된 교육과정 유형을 고려할 때 교사에게 필요한 역량 1가지, 학교의 대안으로서 학습망에 포함되어야 하는 요소 3가지(4점)

> 공식적 교육과정은 바람직한 교육 내용을 반영하는 것처럼 보이지만, 사실 그 이면에는 지배 계층의 이익을 공고히 하는 가치와 규범이 의도적으로 반영되어 있는 경우가 많다. 교사는 그것을 인지하지 못한 채 그것을 교육하고, 이로 인해 학생들의 사고와 행동은 편향적이며 수동적으로 고착화되는 것이다. 따라서 나는 학교를 없애고 학교를 대체할 학습망의 구축을 제안한다.

026 교육과정의 구분

다음에서 언급한 교육과정 유형의 발생 이유 2가지, 교과서 외 보충 자료 제작 시 유의해야 할 점 2가지(4점)

> 교과서를 비롯한 국가 교육과정을 분석하다 보면 가르칠 만한 가치가 있음에도 불구하고 고의로 배제된 교육 내용들을 발견할 수 있다. 이 중에서 교사가 판단하기에 필요한 내용은 교과서 외 보충 자료로 제공함으로써 학생들의 학습경험을 존중해줄 필요가 있다. 다만, 당초의 목적 달성을 위해 몇 가지 사항을 유의해야 할 것이다.

027 교육과정의 구분

A 교사가 언급한 교육과정 유형이 학습자에게 미치는 부정적 영향 2가지, 이 교육과정 유형을 고려한 교육과정 설계 시 목표 설정, 내용 선정 측면에서 고려해야 할 점 2가지(4점)

> A 교사 : 교과협의회를 통해 여러 선생님들과 의견을 나눠보니 국가가 정한 공식적 교육과정, 교과서에서 가르쳐야 할 중요한 내용임에도 어떤 의도에 의해 빠진 경우가 많은 것을 알게 되었습니다. 사회적으로도 중요한 내용이 누락되는 문제도 있지만 무엇보다도 학생들에게 악영향을 미칠까 우려스럽네요. 현장 교사로서 이런 악영향을 최소화하기 위해 수업을 준비할 때부터 여러 요인을 고려해야겠어요.

028 공식적 교육과정의 구분

각 교사가 강조하는 교육과정의 장점 각 1가지, 해당 교육과정을 운영할 때 발생할 수 있는 문제점 각 1가지(4점)

> A 교사 : 요즘 우리 교육청에서는 IB교육을 강조하고 있어요. 처음엔 IB교육이 무엇인지 몰랐는데 이미 150개국 이상에서 이를 적용하고 있고, 이를 통해 전 세계에 있는 학교·학생들과 교류한다고 하네요.
>
> B 교사 : 가장 지역적인 것이 가장 세계적이라는 말이 있듯이, 진짜 경쟁력 있는 교육은 지역화된 교육이라고 생각해요. 특히나 지금처럼 지역마다 다양한 특성이 강조되는 상황에서는 시·도별로 특화된 교육과정을 만드는 것이 중요한 것 같아요.

029 공식적 교육과정의 구분

교육과정 설계·운영에 있어서 단위 학교에 자율권을 부여하는 이유 2가지, 2022 개정 교육과정에서 제시한 설계의 원칙을 학교 내에서 실천한 사례 2가지(4점)

> 2022 개정 교육과정 총론에서는 학교 교육과정을 설계하고 운영할 때 반영해야 할 주요 원칙들과 유의사항 및 절차들을 안내하고 있으며, 그 내용은 다음과 같다.
>
> 〈설계의 원칙〉
> 가. 학교는 이 교육과정을 바탕으로 학교 교육과정을 자율적으로 설계·운영하며, 학생의 특성과 학교 여건에 적합한 학습경험을 제공한다.
> 나. 학교 교육과정은 모든 교원이 전문성을 발휘하여 참여하는 민주적인 절차와 과정을 거쳐 설계·운영하며, 지속적인 개선을 위해 노력한다.

030 공식적 교육과정의 구분

국가가 계획한 교육과정과 교사가 가르친 내용 간 불일치가 나타나는 이유 1가지, A 교사의 고민을 해결하기 위한 방안을 마련할 때 고려해야 할 점 3가지(4점)

> A 교사 : 초임 시절에는 국가가 계획한 교육과정에 있는 내용을 잘 가르치기만 하면 제가 가르친 내용을 학생들이 모두 이해할 줄 알았는데, 실제로는 계획한 교육과정을 제가 그대로 가르치지도 않고 있고, 제가 가르친 내용을 학생들이 모두 학습한 것도 아니더라고요. 앞으로는 계획한 것, 가르친 것, 학습한 것을 일치시킬 수 있는 방법을 고민해야겠어요.

Chapter 02 교육과정 논의의 역사 031 ~ 035

031 교육과정의 역사

밑줄 친 두 관점의 교육적 타당성을 각 1가지, 각 관점을 현대 교육과정 개발에 적용할 때 유의점을 각 1가지(4점)

> 공교육에 대한 관심이 본격화된 19세기 후반부터는 '국가가 만든 학교에서 무엇을 가르쳐야 하는가'에 대한 논의가 활발해졌다. 대중교육의 수요 증가로 스펜서(H. Spencer)는 온전한 생활을 위한 교육을 주장하였으나, 서구에서는 여전히 <u>인문주의적</u> 전통이 강조되기도 하였다. 다만, 10인 위원회 등을 비롯한 인문주의의 수정적 접근으로 교과 내용이 이전보다 다양해지기도 하였다. 다른 한편에서는 19세기 후반 급격한 산업·과학의 발달이 교육에도 영향을 미쳐 교육과정의 과학화·표준화를 강조하는 <u>사회효율성주의</u>가 나타났다.

032 패러다임의 전환

타일러(R.W. Tyler)를 중심으로 한 교육과정 개발 패러다임의 의의와 한계 각 1가지, 현재의 교육환경을 고려했을 때 교육과정 이해 패러다임의 중요성 2가지(4점)

> 타일러(R.W. Tyler)는 「교육과정과 수업의 기본원리」를 통해 기존 교육과정 논의를 합리적으로 종합하고 정리하고자 했다. 특히 교육과정과 수업을 하나의 과정으로 보고, 이를 계획하기 위한 단계를 일반화된 형태로 제시했다. 이에 대해 파이나(W. Pinar), 애플(M. Apple), 아이즈너(E. Eisner) 등의 교육과정 재개념주의자들은 현실의 교육과정을 제대로 이해하기 위해서 개발론적 접근이 아닌 이해론적 접근이 필요하다고 주장하였다.

033 이해 패러다임

슈왑(J. Schwab)의 자연주의적 교육과정 개발 모형에 따를 때 이해 당사자의 의견을 반영하는 과정의 명칭, 교사 외에 의견을 반영할 수 있는 이해 당사자와 그 의견을 반영하는 방법 각 1가지, 이 과정에서 교수설계자의 역할 1가지(4점)

> A 교사 : 최근 교육과정을 재구성하려다 보니, 여러 사람들의 의견을 반영하는 게 필요하다는 생각이 들어요.
> B 교사 : 맞아요. 슈왑(J. Schwab)은 자연주의적 교육과정 개발 모형에서 이해 당사자의 의견을 반영하는 과정이 있어야 한다고 말했어요. 최근 교사 주도의 교육과정 재구성이 강조되고 있는데, 교육과정 재구성 시 교사 외에 다양한 이해 당사자의 의견을 들어볼 필요가 있는 것 같아요.
> A 교사 : 그렇군요. 그런데 여러 의견이 나오면 혼란스럽기도 할 텐데 이때 교수설계자는 어떤 역할을 수행하면 좋을까요?

034 이해 패러다임

A 교사가 활용하기로 한 이론의 학습 단계 중 A 교사가 오늘 시행할 것으로 언급한 활동이 해당하는 단계의 명칭을 단계 내 교사의 역할과 함께 제시, 이 단계 이후 단계별 구체적 학습 활동의 예시 각 1가지(4점)

> A 교사 : 그간 교육과정 운영은 교사 중심으로 정해진 목표를 달성하기 위해 일방향으로 전개되었던 것이 사실이에요. 그러다보니 실제 교육과정이 학생들에게 어떤 의미가 있는지 잘 파악하지 못했고, 학생들도 교육과정 안에서 자신이 어떤 존재인지 알지 못했어요. 이러한 문제를 해결하기 위해 파이나(W. Pinar)의 쿠레레 방법론을 활용할 예정입니다. 오늘은 학생들이 금일 배우는 내용에 관해 어떤 교육적 경험이 있었는지 자유롭게 말하게 할 것입니다. 이후에는 쿠레레 방법론의 단계에 따라서 학습 활동을 진행할 예정입니다.

035 이해 패러다임

애플(M. Apple)의 구조적 재개념주의 이론에 근거하여 A 교사가 수동적 존재로 전락한 과정을 두 단계로 설명, 수동적인 교사가 되지 않기 위한 교사의 실천적 노력 2가지(4점)

> A 교사는 원래 새로운 수업에 대해 관심이 많고 교재 연구에도 활발히 참여하는 교사였다. 그러나 교육청에서 일정 수업 유형을 제시하고 이를 사실상 강제함에 따라, 이전처럼 교육과정을 재구성하고 새로운 교재를 만들기보다는 '에듀넷 티 클리어'에 있는 수업 사례를 그대로 가져오거나, 온라인에 있는 다른 교사들의 강의 영상을 그대로 보여주기만 했다. A 교사는 이후에도 새로운 수업을 연구하기보다는 교육청에서 제시한 수업 사례를 모으고 관리하는 데만 집중하면서 수동적인 교사로 전락하고 말았다.

Chapter 03 교육과정의 유형 036 ~ 048

036 교과를 중심으로 한 교육과정

다음에서 언급한 교육과정 유형의 장점과 단점을 학습자 측면에서 각 1가지, 해당 교육과정 유형에 부합하는 교수학습 방법과 교육평가 방법 각 1가지(4점)

> 인간을 인간답게 살게 하려면 교육을 통해 이성과 합리성을 계발하는 것이 필요합니다. 이성과 합리성은 미래에 있기보다는 여태까지 내려오는 문화유산 속에 있습니다. 고전의 내용을 학습하면서 정신을 단련시킬 수 있다는 믿음은 지금의 시대에도 유효할 것입니다.

037 교과를 중심으로 한 교육과정

교과 중심 교육과정의 내용 조직 유형 중 A 교사가 언급한 유형의 목적 1가지, B 교사가 언급한 유형을 적용한 구체적 수업사례 3가지(4점)

> A 교사 : 최근 다양한 학습경험이 강조되면서 교과 간 통합이 강조되고 있어요. 이제는 전통적 교과의 경계를 넘어 사실과 원리 중심으로 교과를 통합하여 새로운 교과를 조직하는 것이 바람직해요.
>
> B 교사 : 좋은 말씀이네요. 하지만, 개별 교과는 아주 오랜 시간에 걸쳐 진행된 논리적 연구 끝에 체계적으로 조직되었기 때문에 무리하게 통합시키는 것은 오히려 혼란을 유발할 수 있어요. 교과의 기본 체계는 유지하면서도 여러 교과 간 관련 있는 주제를 중심으로 연결하는 것이 우선이라고 봐요.

038 교과를 중심으로 한 교육과정

B 교사가 강조한 지식의 구조의 개념, 지식의 구조를 발견했을 때 교육적 효과 2가지, 지식의 구조 발견을 위한 교사의 지식 표현 방식 3단계(4점)

> A 교사 : 최근 학생들은 시험에 나올 것들만 달달 외우고 있어요. 암기가 중요한 것은 많지만 지필 시험에만 나오는 내용을 너무 많이 외우다보니 학생들이 쉽게 지치는 것 같아요.
> B 교사 : 맞아요. 아마도 학생들이 어떤 것을 학습하는 것이 좋은지 몰라서 그런 것 같아요. 우리 학교에서만이라도 학문중심 교육과정에서 말하는 지식의 구조를 스스로 발견하도록 돕는 교육을 실천해야 할 것 같아요.
> A 교사 : 그럼, 지식이 어떤 구조로 이루어져 있는지 어떻게 알려줘야 할까요?
> B 교사 : 단순하게 개념만 설명하는 것이 아니라 학습자의 수준을 고려해서 지식을 표현하는 것이 기본이라 할 수 있어요.

039 교과를 중심으로 한 교육과정

A 교사가 강조한 교육과정 조직 방식에 적용되는 내용 조직의 원칙 2가지, 해당 조직 방식이 학생의 학습 동기에 미치는 순기능과 역기능 각 1가지(4점)

> A 교사 : 적게 가르치고 많이 배우는 학습을 위해서는 중요하다고 생각하는 모든 내용을 조직하기보다는 나선형의 방식으로 내용을 조직하는 것이 중요하다고 생각해.

040 교과를 중심으로 한 교육과정

B 교사가 활용할 수 있는 수업 목표 위계화의 기준을 영역별로 각 1가지, 메이거(R.F. Mager)가 제시한 구체적 수업 목표 3요소의 명칭과 해당 요소가 반영된 수업 목표의 예시 1가지(4점)

> A 교사 : 요즘 제 수업을 성찰해보면 방향성을 잃고 생각나는 것을 설명하는 데 급급한 것 같아요. 어떻게 하면 좋은 수업을 설계할 수 있을까요?
>
> B 교사 : 학습의 방향을 분명하게 하기 위해서는 수업 목표를 명확하게 설정하는 것이 중요한데, 교육학 이론에서 힌트를 얻을 수 있어요. 우선, 블룸(B. Bloom)의 교육목표 분류학 등을 활용해 수업 목표를 인지적 영역과 정의적 영역으로 구분하여 위계화 하는 것이 필요해요. 그리고 실제 수업 목표를 제시할 때는 메이거(R.F. Mager)의 3요소를 반영한다면 구체적인 수업 목표를 설정할 수 있을 거예요.

041 학습자를 중심으로 한 교육과정

A 교사가 언급한 교육과정 유형의 궁극적 목적 1가지, 이 교육과정에 근거하여 학습경험을 선정·조직할 때 고려해야 하는 원칙 3가지(4점)

> A 교사 : 교육의 본질에 집중해 깨어있는 교실을 만들기 위해서는 학생들의 흥미를 반영한 경험중심 교육과정에 근거하여 교육을 운영하는 것이 필요합니다. 따라서 학습 경험을 선정·조직할 때는 듀이(J. Dewey)가 제시한 원칙에 충실할 필요가 있습니다.

042 학습자를 중심으로 한 교육과정

경험중심 교육과정의 조직 유형 중 A 교사가 언급한 유형이 갖는 교육적 기능 2가지, A 교사가 우려한 문제를 예방하기 위한 방안 2가지(4점)

> A 교사 : 이번 연수를 들어보니 학생의 흥미와 욕구를 고려한 학습경험 선정이 중요한 것 같아요. 그러기 위해서는 학생의 욕구를 중심으로 교사와 학생이 상호 협력해서 경험을 구성하는 것이 필요하다고 생각합니다. 다만, 흥미에 치중해 중요한 내용이 누락되거나, 일부 학생만 참여하는 문제가 발생할 수 있으니 예방책을 마련해야겠어요.

043 학습자를 중심으로 한 교육과정

학교장이 강조한 교육과정 유형의 핵심 요소가 반영된 교육활동 2가지, 일부 교사들의 반대 의견을 해소하기 위한 교육과정 운영 방안 2가지(4점)

> A 중학교에서는 학생 참여 중심 수업 확대를 목표로 교육과정 재구성 작업을 진행하고 있다. 학교장은 "학생들이 단지 교과 지식만을 수동적으로 학습하는 것이 아니라 자신의 감정과 관심사를 수업 속에서 스스로 발견하고 성찰하는 인간중심 교육과정의 요소가 반영되어야 한다"고 강조했다. 많은 교사들이 이에 동의하면서도 일부 교사들은 시간표 운영상의 어려움, 평가의 어려움 등을 이유로 반대 의견을 제시하였다.

044 사회를 중심으로 한 교육과정

A 교사가 언급한 교육과정 유형에서 강조하는 학습경험의 명칭과 예시 1가지, 이 교육과정에 적합한 학습활동 2가지를 활동별로 함양할 수 있는 서로 다른 생활역량과 함께 제시(4점)

> A 교사: 중·고등학교의 교육은 꼭 입시나, 직업 세계로의 진출을 위한 것만이라고는 할 수 없어요. 생활 적응 교육과정에서는 이를 인식하면서 우리가 언제나 맞닥뜨릴 수 있는 생활 장면이야말로 교육과정에 반영되어야 하는 학습경험이라고 했어요. 학습자가 만족스럽게 생활할 수 있도록 준비시키는 것이야말로 공교육이 추구해야 하는 방향이라고 생각해요.

045 사회를 중심으로 한 교육과정

전문가가 언급한 전통적 교육과정 유형과 새로운 교육과정 유형의 차이점 2가지를 내용 선정·조직 측면에서 제시, 새로운 교육과정을 설계할 때 예상되는 어려움 2가지(4점)

> 전문가: 고전, 문화유산을 포함하는 개별 교과의 특성을 강조한 전통적 교육과정만으로는 사회에서 요구하는 인재를 육성하는 데 한계가 있습니다. 이제는 교육과정 편성에 있어서 사회문제를 핵심(Core)에 두고 관련 교과 지식을 연결하는 새로운 교육과정을 적용할 필요가 있습니다. 다만, 아직 구체적 교육과정 운영 사례가 충분치 않다 보니 현장 교사들은 교육과정 설계 시 여러 어려움을 경험할 수 있으므로 전문적 학습공동체를 활성화하는 등 다양한 노력이 뒷받침되어야 할 것입니다.

046 역량을 중심으로 한 교육과정

역량 중심 교육과정에서 강조하는 역량의 개념, 보고서에서 제시한 행위주체성(Student Agency)을 함양하기 위한 구체적 교수·학습활동 3가지(4점)

> 「OECD 교육 2030」에서는 급변하는 세계에서 개인과 사회의 안녕(Well-being)을 위해서는 역량을 함양하는 것이 무엇보다 중요하다고 본다. 여기서 말하는 안녕은 단지 경제적 측면이 아니라 건강, 참여, 안전 등 삶의 질과 관련한 것으로 행위주체성(Student Agency)을 가지고 삶에 임할 때 달성될 수 있다고 본다. 따라서 학교에서는 역량중심의 교육, 행위주체성을 함양하기 위한 교육을 실천해야 한다는 것이다.

047 역량을 중심으로 한 교육과정

A 교사가 언급한 역량의 특성을 발현하기 위해 역량 중심 교육과정 설계 시 반영해야 할 사항을 학습 내용, 학습활동, 평가 유형의 측면에서 각 1가지(3점)

> A 교사 : 역량은 학자마다 다르게 정의될 수 있지만, 기본적으로 실제 삶에서 활용될 수 있다는 수행성, 지식뿐 아니라 기능·태도를 포괄하는 총체성, 끊임없이 성장하고 발전한다는 발달성이라는 특성을 가지고 있습니다. 따라서 역량 중심 교육과정을 설계할 때도 이러한 특성이 발현될 수 있도록 노력해야 할 것입니다.

048 역량을 중심으로 한 교육과정

역량 중심 교육과정에서 전제하는 지식의 특징 2가지, 역량 중심 교육과정 설계 시 내용 선정·조직 방안 2가지 (4점)

> 역량 중심 교육과정은 사회의 요구 등에 민감하게 대응하는 것을 강조하기는 하나, 이론적 지식을 완전히 무시하자는 것은 결코 아니다. 다만, 학교에서 다뤄야 하는 지식이 이전과는 달라야 한다는 것이다. 따라서 역량 중심 교육과정에서 다루는 지식의 특수성을 고려하면서 학습 내용을 선정·조직해야 한다.

Chapter 04 교육과정의 개발 및 설계 049~068

049 교육과정 개발의 기본적 이해

보고서에 제시된 교육과정 개발 유형의 장점과 단점 각 1가지, 이를 현실에 적용하는 구체적 방안 교육청과 단위 학교 차원에서 각 1가지(4점)

<미래 교육과정 개발 관련 보고서>

개선 영역	개선 사항
개발 주체	• 국가는 총론적인 부분만 제시하고 총론에 지역과 단위 학교가 자율적으로 교육과정을 개발·편성·운영할 수 있는 재량 영역을 폭넓게 반영할 것 • 교수·연구자 중심에서 장학사·연구사·일선 교사 중심으로 재편할 것

050 교육과정 개발의 기본적 이해

교육과정을 개발할 때 목표 설정이 중요한 이유 2가지, 단원 내 목표 설정 시 A 교사가 준수해야 하는 원칙 2가지를 그 이유와 함께 제시(4점)

<A 교사에 대한 교원능력개발평가 내용>

B 학생	매 수업마다 명확한 학습목표를 제시해주셔서 수업 중에 어디에 집중해야 할지 알 수 있어요.
C 학생	수행평가가 끝나고 나면 제대로 된 평가였나 의문스러울 때가 많은데 선생님이 제시해준 목표를 보면 왜 그런 결과가 나왔는지 한 번에 이해가 돼요.

051 전통적 교육과정 개발모형

타일러(R.W. Tyler)의 전통적 교육과정 개발모형에서 교육 목표 설정 시 고려해야 할 사항 3가지를 서로 다른 이유와 함께 설명(3점)

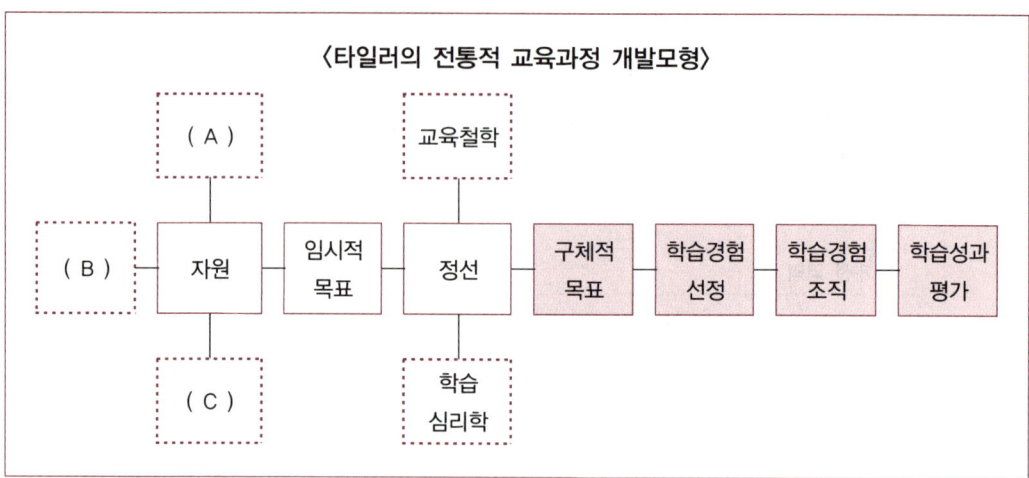

052 전통적 교육과정 개발모형

A 교사가 언급한 학습경험 선정 원칙을 적용하여 선정된 학습경험의 예시를 원칙별로 각 1가지, B 교사가 언급한 학습경험 조직 원칙 적용 시 유의해야 할 점을 원칙별로 각 1가지(4점)

> A 교사 : 타일러(R.W. Tyler)의 합리적 교육과정 개발모형은 현재에도 적용될 수 있어요. 특히, 학습경험을 선정할 때도 이 모형을 활용할 수 있는데, 저는 가능성의 원칙과 일 목표 다 경험의 원칙을 고려하여 학습경험을 선정하려고 합니다.
> B 교사 : 좋은 방법이네요. 학습경험이 선정되고 이후 학습경험을 조직할 때도 그 모형이 유용하더라고요. 저는 학습경험을 조직할 때 계열성의 원칙과 통합성의 원칙을 고려할 예정이에요.

053 전통적 교육과정 개발모형의 개선

다음 방안에서 언급한 교육과정 개발모형의 첫 번째 절차에서 확인하는 내용과 구체적인 진단 방법 각 1가지, 단원 검증 시 활용할 수 있는 검증 기준의 구체적 예시 2가지(4점)

> 〈교사 교육과정의 질적 제고 방안〉
> □ (핵심과제 ①) 교사의 주도적 역할을 통한 단원 중심의 교육과정 개발 활성화
>   ○ (기본방향) 전통적 합리적 교육과정 개발모형을 개선한 단원중심 개발모형을 적용하여 교사의 실제적 역할 강화
>   ○ (개발절차) 요구 진단* → 목표 설정 → 학습 내용 선정 및 조직 → 학습경험 선정 및 조직 → 평가계획 수립 → 개발 단원 검증
>   * (유의점) 학생 부담을 유발하지 않기 위해 지필 진단평가와 같은 체계적 방법은 실시하지 않을 것
> □ (핵심과제 ②) 교사의 교육과정 재구성 역량 증진을 위한 프로그램 활성화
>   … (하략) …

054 전통적 교육과정 개발모형의 개선

전문가가 언급한 것 이외에 합리적 교육과정 개발모형과 다른 타바(H. Taba)의 단원개발모형의 특징 2가지, 단원을 구조화할 때 고려해야 할 사항 2가지(4점)

> 전문가 : 타일러(R.W. Tyler)의 합리적 교육과정 개발모형은 교육과정 개발 시에 따라야 하는 일반적인 절차를 마련했습니다. 타바(H. Taba)는 이를 발전시켰는데, 총론 수준의 개발이 아닌 실제 수업에 적용될 단원을 개발하는 데 초점을 두었고, 교사의 주도적 역할을 강조했다는 점이 합리적 교육과정 개발모형과의 차이라고 할 수 있습니다. 이러한 차이를 인식하면서 교육과정을 개발하는 것이 중요합니다. 이 모형에 따라 여러 단원을 개발하면 단원들을 구조화하는 것이 필요한데, 교사는 이때 몇 가지 사항들을 고려해야 할 것입니다.

055 전통적 교육과정 개발모형의 개선

A 교사가 언급한 교육과정 개발모형에 따라 교육과정을 설계할 때 해야 할 일을 목표 설정, 평가계획 수립, 수업계획 수립 측면에서 각 1가지(3점)

> A 교사 : 학습이 끝나고 오랜 시간이 지나도 학생들의 머릿속에는 정말 중요한 원리와 개념이 남아있어야 바람직한 교육 결과라고 할 수 있지 않을까? 지난번 연수를 들어보니까 위긴스와 맥타이(G. Wiggins & J. McTighe)의 역행설계모형이 나의 생각과 일치하더라고. 바람직한 교육 결과를 달성하기 위해 이 모형에 따라 교육과정을 설계해야겠어.

056 전통적 교육과정 개발모형의 개선

영속적 이해의 도출 과정 설명, 성찰문에서 언급한 이해와 관련하여 다음 학기에 설정할 수 있는 구체적 학습 목표의 예시 3가지(4점)

> 지난 학기 위긴스와 맥타이(G. Wiggins & J. McTighe)의 역행설계모형에 따라 교육과정을 설계하려고 노력했다. 처음에는 영속적 이해를 학습 목표에 반영하라는 것이 다소 난해하게 느껴졌지만, 영속적 이해가 아주 중요한 내용을 반영하고 있다는 점을 생각하니 영속적 이해를 도출하고 이를 학습 목표에 반영하는 것에 익숙해질 수 있었다. 이 모형에서는 이해를 6가지로 분류하라고 강조하는데, 지난 학기에는 설명과 해석 중심의 이해에만 집중했다면, 다음 학기에는 관점, 공감, 자기지식과 관련한 학습 목표를 수립해야겠다.

057 전통적 교육과정 개발모형의 개선

B 교사가 언급한 학습경험과 수업 계획 단계에 반영될 수 있는 수업 전략을 수업의 도입, 전개, 정리 단계별로 각 1가지(3점)

> A 교사 : 위긴스와 맥타이(G. Wiggins & J. McTighe)의 역행설계모형에서는 목표를 설정하고 바로 평가계획을 수립해야 한다고 하더라고요. 이후에는 수업을 계획해야 하는데, 무엇을 고려하면 좋을까요?
> B 교사 : 맞아요. 역행설계모형에서는 학습경험과 수업 계획 단계에서 수업 전략을 구체화하되, 이때 WHERETO 요소를 고려할 것을 강조하고 있어요. 내용을 살펴보면 전혀 어려운 개념이 아니니까 수업 전략을 수립할 때 이 요소를 반영해 주시면 돼요.

058 대안적 교육과정 개발모형

단위학교에서 워커(D. Walker)의 자연주의적 개발모형에 따라 교육과정을 개발할 때 장점 1가지, 이 모형에 따를 때 양질의 교육과정을 개발하기 위한 운영 전략 3가지(4점)

> A 교장 : 올해부터 학교 자율시간을 운영합니다. 한 학기에 한 주 동안 운영할 우리 학교만의 교육과정을 새롭게 만들어야 하는데, 저 역시도 이런 경험은 처음이다보니 선생님들과 이야기를 나누고 싶네요. 그간 교육과정을 개발하고 자율적으로 운영했던 선생님들뿐만 아니라 신규 선생님들도 자유롭게 의견을 주시기 바랍니다.

059 대안적 교육과정 개발모형

전통적 교육과정 개발모형에서 강조하는 행동 목표의 한계 2가지, 아이즈너(E.W. Eisner)가 이야기하는 대안적인 목표 2가지를 서로 다른 예시와 함께 제시(4점)

> 타일러를 비롯한 전통적 교육과정 개발모형에서는 무엇보다도 학습 목표를 중요시한다. 사전에 구체적인 행동 목표로 학습 목표를 제시하면 수업의 방향도 명확해지고 이후 평가를 할 때도 수월하게 진행할 수 있기 때문이다. 이는 교육에 있어서 표준화를 강조하는 입장과 맥을 같이 하는데, 아이즈너는 이러한 가정을 비판하면서 교육은 비가시적인 성장이라는 측면에서 예술성을 가지고 있다고 주장한다.

060 대안적 교육과정 개발모형

아이즈너(E.W. Eisner)의 예술적 교육과정 개발모형에 따를 때 교육과정 내용 선정 시 A 교사가 고려한 것의 명칭, 교육과정을 재구성하기 위해 교사에게 필요한 능력의 명칭과 해당 능력이 발현된 구체적 예시 2가지(4점)

> A 교사 : 현실에 맞는 교육과정을 새롭게 만들기 위해서는 기존의 교육과정에 대한 진정한 이해로부터 시작해야 합니다. 기존 교육과정을 잘 살펴보면 가르칠 만한 가치가 있음에도 고의로 빠진 내용들이 있는데, 이것들이 우선 무엇인지 살펴볼 필요가 있습니다. 기존 교육과정에 대한 분석이 끝났다면 교사는 기존의 교육목표와 내용을 학생에게 적합한 형태로 변형할 수 있어야 합니다. 우리는 연수를 통해서, 때로는 장학을 통해서 그런 능력들을 길러나가야 합니다.

061 대안적 교육과정 개발모형

아이즈너(E.W. Eisner)의 예술적 교육과정에 근거할 때 A 교사가 활용할 수 있는 교육내용의 구체적 제시방식 2가지, 교육평가를 위해 교사에게 요구되는 능력 2가지(4점)

> A 교사 : 학생의 성장 정도는 수치적으로만 표현하기 어렵고, 표현한다 하더라도 그것은 일면의 모습만 보여주는 것입니다. 즉, 교육은 예술의 과정과 유사합니다. 따라서 교육과정에서 다루는 내용은 일반적인 교과를 뛰어넘어 다양한 내용을 포괄해야 하고, 그 교육내용은 학생들이 충분히 학습할 수 있도록 다양한 방식으로 표현되어야 합니다. 평가 또한 바뀌어야 하는데, 교육의 결과로 학습자가 보여준 아주 미묘한 변화를 찾고 그 변화를 평가하는 것이 올바른 평가자의 역할이라고 생각합니다.

062 대안적 교육과정 개발모형

(가) 단계에서 A 교사가 결정할 수 있는 교육과정 재구성 유형 2가지, (나) 단계에서 성취 기준을 재구조화할 때 유의점 2가지(4점)

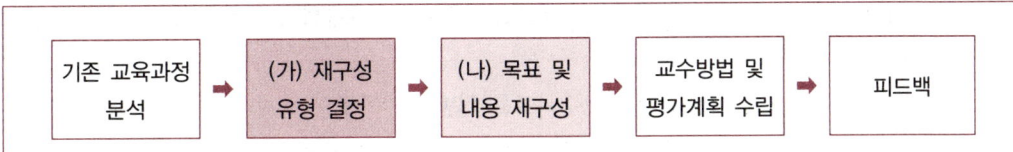

> A 교사 : 성취기준을 분석하고 교육과정을 어떻게 재구성할지 그 유형을 결정할 예정입니다. 이후 성취기준을 재구조화해야 하는데, 몇 가지 사항을 유의해야겠어요.

063 대안적 교육과정 개발모형

(가)에 반영될 수 있는 구체적 분석 방법 2가지를 서로 다른 분석 내용과 함께 제시, (나)에 반영될 수 있는 교수설계자의 활동 2가지(4점)

〈스킬벡(M.P. Skilbeck)의 학교 중심 교육과정 개발모형(SBCD) 단계〉

단계	내용
상황 분석	(가)
목표 설정	교육과정 운영 목표 설정
프로그램 구성	교수·학습 활동에 대한 설계
해석 및 실행	(나)
모니터링, 피드백, 평가, 재구성	모니터링 및 평가 체제 설계

064 일반적 설계원리

다음에서 언급된 두 가지 목표 유형이 갖는 서로 다른 기능 각 1가지, 그론룬드(N.E. Gronlund)가 주장한 구체적 교수목표의 3요소와 구체적 교수목표의 예시 1가지(4점)

그론룬드(N.E. Gronlund)는 교수목표를 일반 교수목표와 구체적 교수목표로 구분한다. 일반 교수목표는 "학생은 비판적으로 사고할 수 있다."와 같이 포괄적인 표현으로 제시되는 목표인 반면, 구체적 교수목표는 일반 교수목표보다 세분화된 수준으로 구체적인 용어를 통해 진술된다. 그는 두 목표가 상보적인 관계에 있다고 주장하면서, 수업을 설계할 때 이러한 목표들을 종합적으로 고려할 것을 강조하였다.

065 일반적 설계원리

A 교사의 발표를 참고하여 교육 내용 조직 시 계열성을 확보하는 구체적인 방법 2가지, 이때 교사가 고려해야 하는 요소 2가지(4점)

> A 교사 : 매년 아이들을 가르치기 위해 교과서를 분석하다 보면 '아이들이 이 내용을 바로 이해할 수 있을까', '이 단원은 상반기보다는 하반기에 배우는 것이 낫지 않을까'라는 생각이 들기도 합니다. 교과 전문가로서 교사는 아이들을 위해서, 학습 효과성을 높이기 위해 학습 내용의 순서를 바꿀 수 있어야 합니다.

066 일반적 설계원리

A 교사가 언급한 수평적 연계성이 갖는 학습자 측면의 의의 2가지, 수평적 연계성 확보를 위해 교사가 검토해야 할 사항 2가지(4점)

> A 교사 : 저는 2022 개정 교육과정에서 교과 교육의 지향점으로 제시된 '교과 간 연계와 통합'에 주목하고 싶어요. 처음에는 이 내용이 주제를 중심으로 여러 교과를 연결하는 개념이라고만 생각했는데, 총론 해설서를 확인해 보니 동일 학년이나 학습 단계에서 교과목 간 학습 내용을 일관성 있게 연계하는 수평적 연계성의 개념을 갖고 있더군요. 그래서 이번 학기에는 타 교과의 선생님들과 수평적 연계성을 확보하는 교육과정에 대해 논의해 보고자 합니다.

067 통합 교육과정

A 교장이 강조한 통합 교육과정 유형이 갖는 효용성과 한계 각 1가지, 드레이크(S. Drake)가 제시한 통합 교육과정의 원리 중 A 교장이 언급한 원리 이외의 원리 2가지를 각각의 실행 방안과 함께 제시(4점)

> A 교장 : 우리는 통합 교육과정을 확대 운영할 필요가 있는데, 통합 교육과정 유형 중 학문 간의 경계를 넘어서 학생들 스스로 다양한 주제와 문제를 탐색하고 학습할 수 있도록 돕는 유형이 필요합니다. 그러나 이 방식은 학급 내 학생 수가 적은 상황에서 효용성과 한계를 모두 가지고 있으므로 우선 이를 살펴보는 것이 중요합니다. 실제 통합 교육과정을 설계할 때는 일관성의 원리에 따라 통합 교육과정의 목표와 수업방법, 평가를 일치시키는 것이 필요합니다.

068 통합 교육과정

드레이크(S. Drake)가 제시한 통합 교육과정 모형에 근거할 때 통합 교육과정 설계의 기반이 되는 3요소, A 교사가 통합 교육과정 설계 시 고려해야 할 점 3가지(4점)

> A 교사는 내년에 전국 단위 수업 연구대회를 준비하고 있다. A 교사는 자신의 교과와 다른 교과를 연계하는 통합 교육과정을 한 학기에 걸쳐 적용하는 수업을 제출하기로 결정하였으며, 이론적 근거로 드레이크(S. Drake)의 통합 교육과정 모형을 활용하기로 했다. 이후 구체적인 통합 교육과정 문서를 작성할 때는 우선 목표설정, 내용 선정·조직, 평가계획 수립으로 나누어 A 교사가 고려해야 할 사항을 정리하려고 한다.

Chapter 05 교육과정의 운영 및 평가 069~072

069 교육과정 운영

교육과정 운영에 관한 스나이더(J. Snyder) 등의 관점에 따를 때, A 교사가 가진 관점의 장점을 학습자와 교사 측면에서 각 1가지, 이 관점에 따른 교육과정 운영 시 고려사항 2가지(4점)

> A 교사: 급변하는 사회, 다양한 교육적 수요를 고려했을 때 국가 교육과정만을 따르는 것은 한계가 있을 수 있습니다. 따라서 계획된 교육과정을 교사가 자율적으로 운영할 수 있어야 하되, 교육의 양대 이념이라고 하는 수월성과 형평성의 차원에서 몇 가지 사항을 고려해야 할 것입니다.

070 교육과정 실행

홀(G.E. Hall)의 CBAM 모형에 근거할 때 교사별 현재 교육과정 관심 수준의 명칭을 각 1가지, 각 교사의 관심 수준에 대응하기 위한 학교 차원의 구체적 지원방안 교사별로 1가지(4점)

> A 교사: 이번 2022 개정 교육과정을 보니 새롭게 추가된 학교 자율시간에 눈길이 가더라고요. 이 기간을 효율적으로 보내기 위해 학기 초에 시간을 잘 계획하고 그 기간 동안 쓰일 교재를 충실히 준비하고 싶어요.
>
> B 교사: 맞아요. 사실 이 제도는 우리 교육청에서 학교 자율과정이라는 이름으로 진행되었던 것인데, 저는 작년부터 이 제도를 활용했었어요. 몇 번 운영하다보니 이 제도가 학생에게 미치는 영향에 대해서도 관심이 생기더라고요.

071 교육과정 평가모형

A 교사가 실시한 기존 평가모형의 한계 2가지, 새로운 평가모형에 따라 평가를 할 때 활용할 수 있는 평가의 내·외재적 준거 2가지(4점)

> A 교사: 이번 학기 진로 활동 프로그램은 자신의 진로에 대한 학생들의 흥미 유발, 동기부여에 초점을 두었습니다. 학기가 끝나고 이번 진로 프로그램의 효과성을 평가하고자 하는데, 예전처럼 목표중심의 평가로는 정확한 평가를 실시하는 데 어려움이 있는 것 같았습니다. 따라서 이번에는 사전에 정해지지 않은 목표도 평가하는 탈목표평가 방식으로 프로그램을 평가하려고 합니다.

072 교육과정 평가모형

스터플빔(D. Stufflebeam)의 CIPP 모형에 따를 때 각 교사가 언급한 의사결정 유형 각 1가지, 이때 각 교사가 활용할 수 있는 평가방식 각 1가지(4점)

> A 교사: 학교폭력 예방을 위한 '공감 쑥쑥 프로그램'을 본격적으로 실시하기 전에 우선 목표를 분명하게 선정하고자 합니다. 이를 위해 우리 학교의 전반적 환경과 풍토를 검토해 봐야겠어요.
>
> B 교사: 그러기 전에 작년에 시행한 '어울림 프로그램'의 결과부터 평가해야 하지 않을까요? 올해 프로그램을 전부 새롭게 만드는 것보다 기존 프로그램의 잘된 점, 잘못된 점을 분석하고 이를 새로운 프로그램에 반영하는 것도 좋을 것 같아요.

Chapter 06 우리나라의 교육과정 073 ~ 080

073 2022 개정 교육과정

2022 개정 교육과정의 비전을 제시하고 비전에 근거할 때 A 교사가 계획할 수 있는 구체적 학습활동 3가지(4점)

> A 교사: 올해 제 교육의 방향을 어떤 것으로 잡아야 할지 모르겠어요.
> B 교사: 매번 교육 방향을 수립하는 것이 만만치 않죠? 그럴 때는 2022 개정 교육과정 총론을 살펴보는 것이 좋아요. 너무 세세한 내용을 보기보다는 2022 개정 교육과정의 비전처럼 큰 방향성을 확인하고 이 방향성에 부합하는 학습활동을 계획하는 것이 좋아요.
> A 교사: 좋은 말씀 감사합니다. 바로 2022 개정 교육과정의 비전을 확인할게요.

074 2022 개정 교육과정

2022 개정 교육과정에서 강조하는 기초소양 3가지의 개념과 해당 소양을 쌓을 수 있게 하는 구체적 교과 활동을 각 소양별로 제시(3점)

> 2022 개정 교육과정에서 '포용성과 창의성을 갖춘 주도적인 인재의 양성'이라는 비전을 달성하기 위해 3가지 기초소양을 강조하였고, 이러한 기초소양은 별도의 교육이 아닌 교과 활동 속에서 함양할 것을 강조하였다.

075 2022 개정 교육과정

2022 개정 교육과정의 핵심역량을 근거로 각 교사가 강조하는 역량의 명칭과 이를 함양하기 위한 구체적 교육 방법 1가지를 교사별로 제시(4점)

> A 교사 : 학교 교육을 통해서 전인적 성장을 바탕으로 자아정체성을 확립하고 자신의 진로와 삶을 스스로 개척하는 사람을 키우는 것이 중요합니다.
>
> B 교사 : 저는 우리나라만의 인재가 아니라 세계 시민으로서의 인재를 키워나가는 것이 학교 교육의 목적이라고 생각합니다. 이를 위해 다양성을 바탕으로 서로 존중하고 지속 가능한 인류 공동체의 발전에 책임감 있는 자세를 갖게 하는 것이 중요합니다.

076 2022 개정 교육과정

A 교사가 언급한 학교 자율시간을 운영했을 때 교육적 효과 2가지, 학교 자율시간의 구체적 운영 예시 2가지(4점)

> A 교사 : 이번 2022 개정 교육과정에서는 학교 자율시간을 운영할 수 있는 근거를 새롭게 마련했습니다. 구체적으로 연간 34주를 기준으로 교과나 창의적 체험활동 수업시간 중 학기별 1주의 수업시간을 확보하여 학교별로 자유롭게 운영하는 것입니다.

077 2022 개정 교육과정

학습량 적정화가 필요한 이유를 학습자 측면에서 2가지, 학습량 적정화를 위한 교육과정 설계 방안 2가지(4점)

> 2022 개정 교육과정에서는 학습량 적정화를 강조하면서 이를 위한 교과교육의 지향점으로서 깊이 있는 학습, 교과 간 연계와 통합 등을 제시한다. 교육 현장에서는 교육과정 설계 시부터 이러한 지향점을 실현할 수 있도록 노력해야 할 것이다.

078 2022 개정 교육과정

다음의 제도에서 강조하는 중점사항 3가지를 구체적인 실현 방안과 함께 제시(3점)

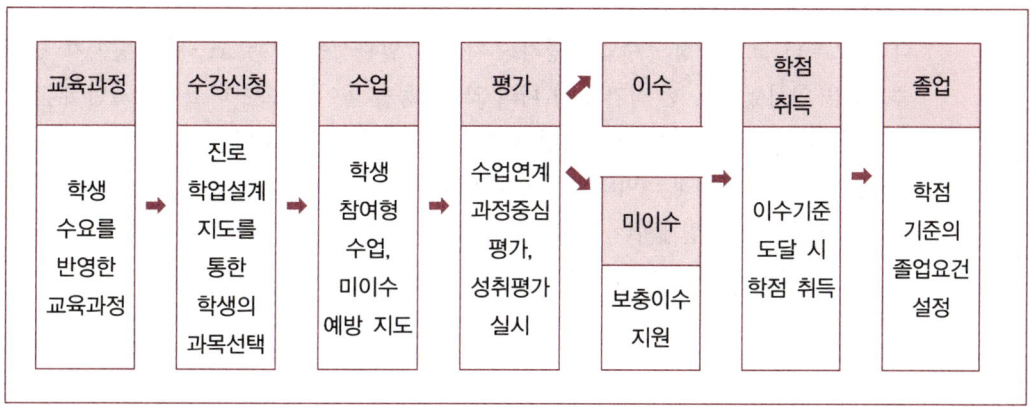

079 | 2022 개정 교육과정

고교학점제 시행 시 발생할 수 있는 문제점을 학생·교사의 측면에서 각각 1가지, 이를 해결하기 위한 방안 2가지(4점)

> 고교학점제: 학생이 기초 소양과 기본 학력을 바탕으로 진로·적성에 따라 과목을 선택하고, 이수 기준에 도달한 과목에 대해 학점을 취득·누적하여 졸업하는 제도
> ※ 3년간 취득한 학점이 192학점 이상이면 졸업

080 | 2022 개정 교육과정

성찰일지에서 언급한 실질적 의미의 교·수·평·기 일체화를 위해 교육과정 – 수업 – 평가 – 기록 측면에서 교사가 주안점을 두어야 할 내용 각 1가지(4점)

> 학기 초부터 교육과정 – 수업 – 평가 – 기록이 일관성을 갖는 교·수·평·기 일체화의 중요성을 인식했는데, 한 학기 동안 나의 교수활동을 돌이켜 보니 다소 미진했던 부분이 있던 것 같다. 교·수·평·기 일체화는 단지 계획에 맞게 수업하고 수업한 내용에서 평가하고, 평가 결과를 기록하는 형식적 의미의 일체화가 아니라, 학생을 교육의 중심에 두면서 전인적 성장을 돕는 실질적 의미의 일체화라 할 수 있다. 그러므로 다음 학기에는 교·수·평·기 일체화의 궁극적 목적을 달성할 수 있도록 노력해야겠다.

MEMO

문제 일람표

영역 구분			문제 번호
이해	교수학습의 기초		81~85
	교육공학의 기초		86
이론	패러다임 변화		87
	프로그램 교수법		88
	학교학습모형		89
	완전학습		90
	유의미학습		91~92
	발견학습		93~94
	ARCS		95
구성주의 이론	공통		96
	학습환경 설계		97
	PBL		98
	프로젝트학습법		99
	상황학습이론, 맥락정착적 교수이론		100
	자원기반학습		101~102
	인지적 유연성이론		103~104
	인지적 도제이론		105
	실천공동체		106
	상보적 교수이론		107
	목표기반 시나리오		108
교수설계	일반적 교수설계		109
	이론	가네 이론	110
		정교화이론	111
		개념학습	112
		내용요소제시이론	113
	ADDIE		114
	Dick & Carey		115
	RPISD		116
교수매체	이해		117
	모형		118~119
	ASSURE 모형		120~121
실행	교사중심		122~123
	학습자중심		124~127
	새로운 교수방법		128~132

최원휘 SELF 교육학
미라클모닝 300제

III

교육방법

Chapter 01 교수학습 및 교육공학의 이해 081 ~ 086

| 모범답안 해설 p.054 |

081 교수학습의 기초

다음에서 제시된 학습의 정의에서 찾아볼 수 있는 학습의 특성 3가지, 각각의 특성을 반영한 서로 다른 교수·학습 활동 3가지(4점)

> 학습에 대한 학자들의 다양한 견해를 종합해 보았을 때, 학습이란 '연습이나 경험의 결과로 발생하는 비교적 영속적인 행동상의 변화'로 정의할 수 있다. 학교에서 일어나는 교수·학습 활동은 이러한 정의를 반영할 필요가 있다.

082 교수학습의 기초

라이겔루스(C. Reigeluth)의 교수변인 분류에 근거할 때, A 교사가 교수설계 시 고려해야 할 조건변인의 예시 2가지, A 교사의 교수학습 결과를 평가할 때 사용할 수 있는 기준 2가지 (4점)

> A 교사 : 내년부터 우리 교과에서 AI 디지털교과서(AIDT)가 도입됨에 따라 교수설계 방식도 바뀌어야 할 것 같네요. 특히, 본격적 교수설계에 앞서서 수업에 크게 영향을 미칠 수 있는 관련 조건들을 확인해 보아야 합니다.
> B 교사 : 맞아요. AI 디지털교과서를 활용하는 수업은 준비 과정도 중요하지만, 수업 이후의 결과를 평가하고 이를 환류하는 과정을 거칠 필요가 있어요. 수업을 평가할 때는 라이겔루스(C. Reigeluth)의 결과변인을 평가 기준으로 사용하는 것이 좋을 것 같네요.
> A 교사 : 좋은 말씀 감사합니다. 수업이 끝난 후 그 기준에 따라 평가해볼게요.

083 교수학습의 기초

A 연구사가 언급한 바와 같이 목표를 설정했을 때 장점을 교사와 학습자 측면에서 각 1가지, 수업 과정안에 제시된 목표가 가진 문제점 2가지(4점)

> A 연구사 : 오늘은 목표 설정과 진술에 대해서 말씀드릴 예정입니다. 목표 설정과 관련해 여러 가지 기법이 있지만, 가장 기본은 수업을 통해서 학생들이 달성해야 할 목표를 누구나 알기 쉽게 구체적으로 설정하는 것입니다. 이러한 목표는 교사뿐 아니라 학습자에게도 도움이 되는 것이니 명심해 주시기를 바랄게요. 자, 그러면 수업 과정안에 제시된 학습 목표가 어떤 문제점이 있는지 찾아보도록 하죠.
>
> 〈수업 과정안〉
>
> | 학습 목표 | • 영상 자료를 보여주고 토론하게 한다.
• 수직과 수평을 구분하여 도형을 그리고 그 특징을 설명할 수 있다. |
> |---|---|

084 교수학습의 기초

A 교사의 의견에 근거할 때 수업 준비 단계에서 분석해야 하는 내용 2가지를 구체적인 분석 방법과 함께 제시, 각각의 분석 결과를 활용하는 방안 2가지(4점)

> A 교사 : 수업을 시작하기 전 교사는 학습자를 정확하게 파악하는 것이 중요합니다. 이때 학습자의 전인적 측면에서 종합적으로 그의 내적 특성을 분석할 수 있어야 합니다.

085 교수학습의 기초

A 교사가 언급한 계열화 방법별 장점 각 1가지, A 교사의 목적 달성을 위한 구체적 교수활동 2가지(4점)

> A 교사 : 저는 한 학기 동안 이루어지는 수업의 연속성을 확보하는 것이 가장 중요하다고 생각해요. 이를 위해 수업 전에는 계열성을 확보하도록 학습 내용을 조직하는 것이 중요한 것 같아요. 조직 방법으로는 주제별로 계열화하는 방법과 나선형으로 계열화하는 방법이 있는데, 두 방법 모두 장점이 있으므로 상황에 따라 유연하게 적용하고자 합니다. 또한, 수업의 연속성을 확보하기 위해서는 수업 시작과 마지막에 교사의 적절한 역할이 필요하니까 매 차시 수업을 계획하고 운영할 때 이런 부분을 염두에 두어야 할 것 같아요.

086 교육공학의 기초

'테크놀로지를 통한 교육의 질 제고'라는 주제로 교수설계 시 A 교사의 구체적인 실행전략을 교육공학의 4가지 영역별로 각 1가지(4점)

> A 교사 : 원격수업처럼 여러 에듀테크를 활용한 수업을 효과적으로 준비하려면 어떻게 해야 할지 잘 모르겠어요.
> B 교사 : 제가 연수에서 들었는데, 미국 교육공학회(AECT)가 제안한 대로 설계, 개발, 활용, 관리 등의 영역으로 나누어서 수업을 설계한다면 어떤 상황에서도 체계적인 설계가 가능하다고 하더라고요.
> A 교사 : 아, 그런 게 있었군요. 저도 영역별로 할 일을 생각해 봐야겠어요.

Chapter 02 교수학습이론 087~108

087 교수학습 패러다임 변화

경험과학적 패러다임에 적합한 교육방법 2가지, 새로운 패러다임하에서 교사와 학생의 역할 각 1가지 (4점)

> 과거에는 교사만이 지식에 접근할 수 있었다. 기존의 패러다임은 크게 전통적 패러다임과 경험과학적 패러다임으로 구분되는데, 전통적 패러다임에서 교사는 충실한 지식의 공급자, 학습자는 지식의 수용자라는 역할이 강조되었고, 경험과학적 패러다임에서는 교사-학생 간 상호작용, 학생 간 상호작용 등 상호작용을 통한 학습이 강조되었지만 여전히 지식과 경험에 대한 접근 권한은 교사에게 있었다. … (중략) … 정보통신의 발전, 에듀테크의 발전 등으로 미래 공학적 접근의 새로운 패러다임이 현실화된 현재 교육환경에서 교육의 방향은 달라질 수밖에 없다. 교육환경은 이전보다 역동적이고 개방적이며 다양하다. 이에 대응하는 교육, 그리고 그 안에서 교사와 학생의 역할 또한 전통적 패러다임과 확연히 달라야 한다.

088 주요 교수학습이론

스키너(B. Skinner)의 프로그램 교수법에서 제시하는 학습원리 중 다음 프로그램과 관련 있는 원리 2가지, 이러한 프로그램이 가지는 교육적 효과 2가지 (4점)

> 교육부는 기초학력 진단을 위해 AI 진단검사 프로그램을 개발한다고 발표하였다. 이는 학습자의 수준별로 문제를 단계적으로 만들어 탑재한 후, 특정 문제에 대한 학생들의 응답 수준을 AI가 확인하고 이후 AI가 단계적으로 다른 수준의 문제를 즉각적으로 제공하는 프로그램이다.

089 주요 교수학습이론

캐롤(J. Carroll)의 학교학습모형에 근거하여 A 학생의 학습 정도가 낮은 이유 2가지, 학습 정도를 높이기 위한 구체적 방안 2가지(4점)

> A는 운동부 학생인데 최근 부상으로 인해 더 이상 운동을 할 수 없는 상황이다. A의 부모님은 A가 운동을 그만두고 공부를 하기를 바라고 있다. 하지만 A는 그동안 운동부 활동에 참여하느라 학습 시간도 충분치 않았고 자신의 꿈이 좌절되었다는 생각에 모든 의욕이 사라진 상태이다.

090 주요 교수학습이론

블룸(B. Bloom)의 완전학습이론에 근거하여 수업의 질을 판단할 때 확인하는 요소 2가지, 완전학습을 위해 A 교사가 실시할 수 있는 구체적 수업 활동 2가지(4점)

> A 교사 : 요즘 학생들의 이해도를 체크해 보면 학생 간 이해도 차이가 크게 벌어지는 것을 느끼고 있어요. 제 수업의 질에는 문제가 없는지 반성하게 되네요.
> B 교사 : 저도 같은 고민을 했어요. 공교육은 대부분의 학생들이 교사가 가르치는 대부분의 내용을 학습하도록 유도해야 하는데, 그런 관점에서 수업의 질을 판단하면 좋을 것 같아요.
> A 교사 : 완전학습을 추구해야 한다는 말씀이네요. 그러면 완전학습을 위해 어떤 전략을 마련하면 좋을까요?
> B 교사 : 블룸은 수업을 진행하면서 수업 보조활동을 실시하고, 형성평가 이후 보충심화 학습을 거친 후에는 2차 학습의 기회를 제공할 것을 강조하고 있어요. 이 두 가지 수업 활동을 수업에서 진행해 보시면 좋을 것 같네요.

091 주요 교수학습이론

오수벨(D. Ausubel)의 유의미학습 이론에 근거할 때 밑줄 친 (가)에 해당하는 것의 명칭과 이것의 교육적 기능 2가지(3점)

> 중학교 음악교사인 A 선생님은 생상스의 '동물의 사육제'를 가르치고자 한다. 수업 도입부에 (가) <u>A 선생님은 우선 영상을 통해 사자, 당나귀, 거북이 등 실제 동물의 울음소리와 걷는 모습을 보여주었다.</u> 이후 동물의 사육제를 들려주면서 실제 동물의 모습과 음악 간의 유사성과 차이점을 설명하고 학생들에게 음악 감상문을 쓰게 하였다.

092 주요 교수학습이론

오수벨(D. Ausubel)의 유의미 학습이론에 따를 때 유의미한 학습이 일어나기 위한 조건을 학습과제와 학습자 측면에서 각 1가지, A 교사가 언급한 포섭을 촉진하기 위한 교수활동 방안 2가지 (4점)

> A 교사 : 교사가 전달하는 지식 내용을 학습자가 정확하게 파지하는 것이야말로 학교 수업의 기본적인 목적 중 하나라고 할 수 있어요. 다만, 파지가 잘 일어나기 위한 여러 조건이 있으니, 교사는 그 조건들을 이해하고 수업을 준비해야 해요. 학습자들이 새로운 학습 내용에 대한 파지가 되는 과정에서 기존에 가진 일반적 지식 아래 새로운 지식을 연결하는 하위적 포섭이 나타나는데, 이러한 포섭이 원할하게 나타나도록 교수활동을 계획하는 것이 필요해요.

093 주요 교수학습이론

브루너(J. Bruner)의 발견학습에서 제시한 선행경향성을 자극하기 위한 방안 2가지, 효과적 발견학습을 위한 구체적 교수·학습 활동 2가지(4점)

> A 교사: 변화하는 시대에 교사는 많은 내용의 지식을 일방적으로 가르치기보다는 학습자가 여러 사실로부터 근본적인 개념과 원리를 스스로 발견하게 하는 것이 중요합니다. 이를 위해 수업 설계 시 발견학습에 적극적으로 참여하게 하는 학습자의 선행경향성을 자극하는 방안을 마련해야 합니다. 또한, 교사는 수업 중에 학습자가 스스로 개념과 원리를 발견하도록 조력하는 역할을 수행해야 할 것입니다.

094 주요 교수학습이론

다음에서 제시된 두 교수학습이론의 차이점을 교육목표와 교육내용 측면에서 각 1가지, 각 이론에 근거한 수업 운영방안 1가지를 서로 다른 에듀테크를 활용하여 제시(4점)

> 대표적 교수학습이론으로 브루너(J. Bruner)의 발견학습이론과 오수벨(D. Ausubel)의 유의미학습이론을 들 수 있다. 발견학습과 유의미학습은 교육목표와 내용 측면에서 확연한 차이가 있다. 이러한 차이로 인해 언뜻 하나를 취하고 하나를 버려야 하는 것처럼 인식할 수도 있지만, 다양한 형태의 에듀테크 기술이 발전하는 요즘, 두 이론을 상황에 따라 적기에 활용하면서 각 이론이 추구하는 목표를 달성할 수 있다.

095 주요 교수학습이론

학습 동기와 관련한 켈러(J. Keller)의 ARCS에 근거할 때 A 학교 학생들이 학습 동기가 낮은 이유 2가지, A 학교 학생들의 학습 동기를 높일 수 있는 구체적인 방안 2가지(4점)

> A 학교 전체 학생 중 40%가 다문화가정의 학생들인데, 대부분 기초학력 수준도 낮고 학습 동기도 비다문화가정의 학생들에 비해 저조한 것으로 드러났다. 설문조사 결과 해당 학생들은 우리말에 익숙치 않아 초등학교 때부터 학습에 성공한 경험도 극히 드물고, 대부분 저소득층이다 보니 하루빨리 취업을 해야 한다는 생각에 수업 시간에 배우는 내용이 자신들의 진로에 중요치 않다고 생각하는 것으로 드러났다.

096 구성주의 교수·학습이론

구성주의 이론에서 전제하는 기본적 가정 2가지, 제시문에서 언급한 2가지 구성주의 관점에 따른 교사의 역할을 관점별로 각 1가지(4점)

> 전통적 교육환경에서는 학습자를 세상의 지식을 담는 물통이라 가정하였다. 빈 물통에 물이 담길 동안 물통은 스스로 아무것도 하지 않는다. 내가 품을 물을 선택할 수도 없고 그 물을 스스로 버릴 수도 없다. 그 물이 마실 물인지, 식물에게 줄 물인지 알지 못하고, 이 물로 무엇을 할 수 있을지 스스로 결정하지 못한 채 언제나 묵묵하게 물을 품고 있을 뿐이다. 구성주의 이론은 이를 비판하면서 학습자의 지식을 새롭게 규정한다. 구성주의는 지식이 어떻게 재구성 되는지에 따라 인지적 구성주의와 사회적 구성주의로 유형화한다.

097 구성주의 교수·학습이론

조나센(D. Jonassen)의 구성주의 학습환경 설계 모형에 근거할 때 학습자의 학습활동 3가지, B 교사가 언급한 도구의 구체적 예시 1가지(4점)

> A 교사: 이번 수업은 학생들에게 문제를 제시하고 이를 해결하도록 설계하고 싶네요. 구체적으로 어떻게 설계하면 좋을까요?
> B 교사: 그렇다면 교수설계의 핵심은 단순히 목표와 수업 방법을 제시하는 것에 그치지 말아야 합니다. 문제해결 과정에서 학습자가 해야 할 역할과 학습자가 활용할 수 있는 인지적 도구 또한 교수설계에 반영하는 것이 중요합니다.

098 구성주의 교수·학습이론

A 교사가 언급한 것 외에 문제중심학습(Problem-Based Learning)에서 설정하는 문제의 특성 2가지, 학생의 문제해결 과정에서 교사의 구체적 역할 2가지(4점)

> A 교사: 그간 너무 지식 전달 중심으로만 수업을 진행하다 보니 학생들이 쉽게 지치고 학습에 부담감을 느끼고 있더라고요. 올해에는 절대적 지식이 아니라 학습자의 발달단계에 적합하고 실생활과 관련 있는 문제를 중심으로 수업을 진행하고자 합니다. 그리고 이 문제를 교사인 제가 다 풀어내는 것이 아니라 학습자가 스스로 해결할 수 있도록 조력할 예정이에요.

099 구성주의 교수·학습이론

B 교사가 강조한 학습 방법이 학생의 행위주체성 함양에 도움이 되는 이유 3가지, A 교사의 고민을 해결할 수 있는 실행 방안 1가지(4점)

> A 교사 : 학생들을 주도적인 인재로 성장시키기 위해서 어떤 학습활동을 하면 좋을까요?
> B 교사 : 최근에 학생들의 주도성과 관련해서 행위주체성(Student Agency)이 강조되고 있어요. 저는 장기간에 걸쳐 주도적인 학습이 일어나는 프로젝트 학습이 행위주체성 함양에 효과적이라고 생각해요.
> A 교사 : 저도 동의해요. 그런데 기초학습 능력이 부족한 학생들은 프로젝트 학습에 어려움을 느껴서 학습에서 소외될까 걱정되네요.

100 구성주의 교수·학습이론

수업 계획안에 나타난 맥락중심의 이야기(Anchor)가 갖는 특성 2가지, 해당 수업을 실행할 때 교사가 겪을 수 있는 어려움 2가지(4점)

<수업 계획안>

단원	지속 가능한 도시와 교통 문제
활용 이론	맥락정착적 교수이론(Anchored Instruction)
수업 방향	문제가 반영된 맥락중심의 이야기를 미디어를 활용해 제시하고 학생들이 팀을 이뤄 스스로 해당 문제를 해결하는 방안을 마련하게 할 것
맥락중심의 이야기	중학교 주변에 대형마트가 들어섬에 따라 아침마다 통학로가 심각한 교통 혼잡을 겪게 됨. 이로 인해 지역 주민, 상인, 마트 측, 학생과 학부모 간 갈등이 발생하고 시청에 진정서가 접수됨

101 구성주의 교수·학습이론

각 교사가 실시할 수 있는 구체적 수업 사례를 교사별로 1가지, 각 교사가 자원을 활용할 때 유의점을 교사별로 1가지(4점)

> A 교사: 우리가 사용하는 교과서는 2~3년 전에 만들어졌는데, 그 사이에 벌써 많은 지식들이 새롭게 등장했어요. 따라서 수업을 할 때 교과서 외에도 다양한 인터넷 정보 자원을 활용해야 할 것 같아요.
>
> B 교사: 진로 수업을 할 때는 제가 설명하는 것보다 실제 그 직업에 대해 잘 알고 있는 우리 지역의 전문가를 활용하는 것이 더욱 효과적이에요. 따라서 앞으로는 지역 내 인적 자원을 활용할 예정이에요.

102 구성주의 교수·학습이론

자원기반학습을 통해 길러지는 정보 리터러시(Literacy) 역량 2가지, 빅6(Big 6 skills) 모형에 따를 때 A 교사가 언급한 인지 영역을 발달시키기 위한 교수·학습 단계의 명칭과 해당 단계의 구체적 교수·학습 활동 예시 1가지(4점)

> A 교사: 미래교육 대전환 시대는 자원의 홍수를 넘어 자원의 세상이라고 할 수 있습니다. 따라서 다양한 자원을 활용하는 자원기반학습을 통해 미래교육 대전환 시대에 필요한 정보 리터러시를 함양할 수 있을 것입니다. 정보 리터러시를 내재화하기 위해서는 단지 정보를 습득하는 것에 그치지 않고 정보를 분석할 수 있는 인지적 영역을 발달시켜야 할 것입니다.

103 구성주의 교수 · 학습이론

인지적 유연성 이론에 근거할 때 다음의 수업 방법에서 발견할 수 있는 학습 원리 2가지, 이러한 수업 방법의 교육적 효과 2가지를 학습자 측면에서 제시(4점)

> '지구 온난화'라는 주제로 다양한 입장을 가진 사람들의 의견을 영상물로 제시한다. 개발론이라는 세부 주제로서 기업가, 개발도상국, 벌목업 종사자들의 입장을 보여주고, 보호론이라는 세부 주제로서 원주민, 환경운동단체, 선진국의 입장을 보여준다. 학생들은 세부 주제별 다양한 입장들을 학습하고 이에 대해 자신의 의견을 정리한다.

104 구성주의 교수 · 학습이론

A 교사가 언급한 이론에서 강조하는 지식의 특성 1가지, 이 이론을 적용한 수업이 효과성을 갖기 위한 교사의 실행전략을 수업의 도입 – 전개 – 정리 단계별로 각 1가지(4점)

> A 교사: 우리 학생들이 앞으로 직면하게 될 복잡하고 다양한 문제를 해결하기 위해서는 단순한 지식 암기와 반복적인 연습만으로는 충분하지 않습니다. 스피로(R. Spiro)의 인지적 유연성 이론을 적용한 교육 방식이 필요한 이유는 바로 여기에 있습니다. 교사는 학생들이 다양한 상황에서 지식을 적용하고 재구성할 수 있도록 도와야 합니다.

105 구성주의 교수·학습이론

다음의 단계를 거치는 교수·학습이론의 **교육목적**, 이 이론에서 제시하는 **단계별 교사의 구체적 교수·학습활동** 각 1가지 (4점)

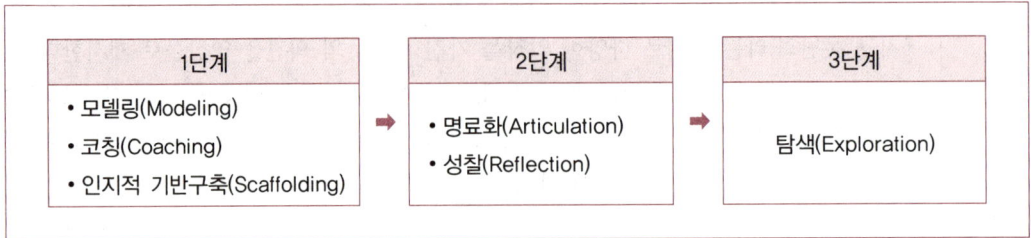

106 구성주의 교수·학습이론

실천공동체의 구성요소 2가지, 구성원에게 **단계적 참여 권한을 부여하는 이유 2가지** (4점)

〈역사교육연구회 기본 회칙 요약〉

1. 우리 연구회는 체험 중심 역사 학습의 필요성을 공감하는 사람들로 구성한다.
2. 우리 연구회는 매주 수요일 저녁 7시 30분에 정기 대면 모임을 실시한다(필요 시 온라인으로 진행).
3. 우리 연구회는 교직 경력, 연구회 참여 경력 등을 바탕으로 멤버십의 단계(새싹 − 잎새 − 열매)를 정하며, 멤버십 단계별로 연구회 참여 범위는 상이하다.
4. 우리 연구회에서 나온 교수방법과 아이디어들은 우리 연구회에 귀속되며, 우리 연구회에 소속된 교사들은 매 학기 1회 이상 연구회의 연구 결과를 수업에 적용하고 그 결과보고서를 제출한다.
5. 결과보고서에 대해 열매 등급의 교사는 적극적으로 장학 활동을 수행한다.

107 구성주의 교수·학습이론

팰린샤와 브라운(A. Palincsar & A. Brown)의 상보적 교수이론에 근거할 때 독해력의 세부 구성 능력 2가지, A 교사가 학생들의 독해력을 함양하기 위해 활용할 수 있는 구체적 교수학습 전략 2가지를 테크놀로지를 활용하여 제시(4점)

> A 교사 : 요즘 학생들은 정보를 얻을 때 많은 시간을 할애하는 것을 꺼립니다. 심지어 재미를 위해 영상을 보더라도 쇼츠나 요약 영상들 중심으로 찾아보죠. 그러다 보니 학생들에게 소설을 읽게 하고 어떤 내용이었는지 질문하면 단편적인 사건만 이야기 하는 경우가 많고, 장편소설의 앞부분을 보여주고 다음 내용을 물어보면 엉뚱한 내용을 말하는 경우가 많습니다.

108 구성주의 교수·학습이론

교수학습 계획(안)의 (가)와 (나)에 들어갈 예시 각 1가지, 미션과 표지 이야기의 교육적 기능 각 1가지(4점)

〈교수학습 계획(안)〉

주제	환경 보호와 원자력 발전소
수업 방식	목표기반 시나리오(Goal-Based Scenarios)
학습목표	원자력 발전소 폐쇄를 둘러싼 각 부처(국토부·환경부·산업부·기획재정부 등) 장관들의 의사결정 과정에 가상적으로 참여하는 경험을 통해 비판적·합리적 사고능력을 기른다.
미션	(가)
표지 이야기	(나)

Chapter 03 교수설계 109~116

109 일반적 교수설계

B 교사의 제안을 고려할 때 A 교사가 적용할 수 있는 구체적 분석 기법 2가지, 설계 단계에서 교사가 할 일 2가지(4점)

> A 교사: 어떻게 하면 좋은 수업을 설계할 수 있을까요?
> B 교사: 너무 어렵지 않게 생각하시면 좋겠어요. 일반적 교수설계(ISD) 모형에 따라 차근차근 진행하시면 좋을 것 같은데요. 이 모형은 분석-설계-개발-평가의 단계를 거칠 것을 강조하고 있어요. 이 중 분석 단계에는 여러 분석 활동이 있지만, 우선 바람직한 교육 상태와 현재 상태의 차이를 분석하는 것이 중요해요. 분석이 끝나면 선생님만의 교육활동을 구체화하면서 문서를 작성하는 설계의 과정을 거치면 됩니다.

110 교수설계이론

보고서에서 언급한 학습과제 분석 시 교사가 활용할 수 있는 구체적 분석 방법 2가지를 각각의 기능과 함께 제시, 보고서에서 언급한 내적 학습 과정을 촉진하기 위해 실시할 수 있는 구체적 교수·학습 활동 2가지(4점)

〈주요 내용〉	〈설문 조사〉
전반적인 교수설계의 질을 담보하기 위해서는 일반적·체계적인 접근이 여전히 실효성을 가진다. 따라서 교사는 가르쳐야 할 내용, 즉 학습과제를 분석해야 하며, 분석한 과제를 학습자가 원활하게 학습할 수 있도록 효과적인 환경적 자극을 마련하는 것이 필요하다. 이때 가네(R. M. Gagné)의 학습위계이론에서 알 수 있듯이, 교사는 학생의 내적 학습 과정으로서 학습과제가 의미적으로 부호화되고, 학습과제에 대한 반응을 촉진할 수 있는 교수·학습 활동을 계획해야 한다.	Q. 가르쳐야 할 내용을 분석할 때 중점사항은? (복수 선택) A. 아이들 수준에 맞는지(88.2%) 성취기준에 부합하는지(65%) 수업계획에 부합하는지(63%) Q. 학습과제를 구성할 때 중점사항은? (서술형) • 학생들이 오래 기억할 수 있는 학습과제가 필요해요. • 학습자가 스스로 학습과제를 다룰 수 있도록 해야 해요.

111 교수설계이론

라이겔루스(C. Reigeluth)의 정교화이론에 근거할 때 A 교사가 적용할 수 있는 내용 조직 방안 1가지, A 교사의 고민을 해결할 수 있는 정교화 전략 3가지를 구체적 예시와 함께 제시(4점)

> A 교사 : 한 수업에서 많은 내용을 한 번에 다루는 경우가 있어요. 그런데 많은 내용을 단순 나열식으로만 가르치다 보면 학생들이 정신없어 하면서 수업에 흥미도 잃고, 수업 시간에 수동적으로만 앉아 있어요. 어떻게 해결하면 좋을지 고민이에요.
>
> B 교사 : 수업 시수가 정해져 있으니 어쩔 수 없는 부분이기도 하죠. 복잡한 내용은 가르치는 순서가 중요하니까 우선, 가르쳐야 할 내용을 확인하고 그에 맞게 순서를 구성하는 것이 중요해요. 제가 예전에 정리해 놓은 수업 전략이 있으니까 그것을 보시고 선생님의 고민을 해결할 수 있는 전략을 적용해보시면 좋을 것 같네요.

112 교수설계이론

라이겔루스(C. Reigeluth)의 개념학습에 근거할 때, A 교사의 목적 달성을 위한 교수 방법 3가지, B 교사가 계획할 수 있는 학습활동 예시 1가지(4점)

> A 교사 : 수업 시간에 배운 개념을 나중에 활용하기 위해서는 먼저 그 개념의 가장 본질적인 특성, 즉 개념의 전형을 학습하는 것이 중요해요. 학교 수업은 우선 개념의 전형적인 모습을 가르치는 것이 기본 목적이라고 할 수 있어요.
>
> B 교사 : 맞아요. 하지만 개념을 학습하는 과정에서 학생들은 다른 개념과 헷갈릴 수 있어요. 학생들이 학습한 개념과 유사한 개념을 변별할 수 있도록 학습활동을 계획할 필요가 있어요.

113 교수설계이론

아래에 제시된 목표를 메릴(M. Merrill)의 내용 – 수행 행렬표에 따라 각각 분석, 각 목표 달성을 위해 적용할 수 있는 서로 다른 2차 자료 제시 유형 1가지를 그 이유와 함께 제시(4점)

- 목표 1 : 파이(π)가 무엇인지 말할 수 있다.
- 목표 2 : 피타고라스의 정리를 이용하여 건물의 높이를 측정할 수 있다.

114 교수설계 모형

일반적 교수설계 모형(ISD)과 다른 ADDIE 모형의 특징 2가지, A 교사가 평가(Evaluation) 단계에서 활용할 수 있는 지표의 예시 2가지(4점)

A 교사 : 교수설계를 할 때 ADDIE 모형이 현장 지향적이라는 점에서 의미가 있는 것 같아요. 교수설계를 적용한 이후 평가를 거쳐야 하는데, 여기서 나온 결과는 추후 교수설계를 할 때 활용할 수 있어요.

115 교수설계 모형

A 교사가 언급한 준비 작업의 구체적 예시 2가지, A 교사가 언급한 단계에서 교사의 유의점 2가지(4점)

> A 교사: 딕과 캐리(W. Dick & Carey) 모형에 따라 교수설계를 할 때는 학습 목표를 구체적으로 진술하는 것이 중요해요. 학습 목표를 구체적으로 진술하기 전에 몇 가지 준비 작업이 있으니 선생님들께서는 이 점을 명심해 주셨으면 좋겠어요. 이 모형에서는 목표를 구체적으로 진술한 이후 준거지향검사를 개발하는 단계를 거치는데, 이 단계에서 몇 가지 유의사항이 있으니 제공해드린 추가 자료를 확인해주세요.

116 교수설계 모형

일반적 교수설계(ISD) 모형에 대한 대안으로 전문가가 제시한 교수설계 모형이 교육 현장에 유용한 이유 2가지, 이 모형을 적용할 때 유의점 2가지(4점)

> 전문가: 일반적 교수설계(ISD) 모형은 체계적이라는 장점은 있지만 몇 가지 측면에서 한계를 드러내기도 합니다. 오늘은 이에 대한 대안적 모형으로 RPISD 모형을 제안하고 싶네요. 일반적인 절차를 순차적으로 거치기보다는 빠르게 교수설계의 원형(Prototype)을 만들고 이해관계인과 테스트하며 수정·보완하는 이 모형은 교육 현장에 유용할 것으로 기대합니다.

Chapter 04 교수매체에 대한 이해 117 ~ 121

| 모범답안 해설 p.072 |

117 교수매체의 이해

매체 활용 수업의 교육적 기능 2가지, 매체의 효과성을 분석하기 위해 두 교사가 언급한 방법의 한계를 각 1가지(4점)

> A 교사 : 요즘 들어 매체를 활용한 수업이 부쩍 늘었어요. 수업 연구대회에 나가보니 대부분의 선생님들이 컴퓨터, 전자칠판, 태블릿 PC 등 다양한 매체를 활용한 수업을 진행하시더라고요.
>
> B 교사 : 너무 많은 교수매체가 나오니까 전 오히려 어떤 매체로 수업을 해야 할지 고민이 들더라고요. 매체 간의 효과성을 비교하면서 가장 좋은 매체를 활용하려고요.
>
> A 교사 : 선생님이 하고자 하는 수업에 따라 적합한 매체가 다를 수 있어요. 각 교수매체의 고유한 속성과 특징을 연구하고 그 결과에 근거해 매체를 선정하는 방법도 있습니다.

118 교수매체 모형

벌로(D. Berlo)의 SMCR 모형에 근거할 때 교수매체를 활용한 수업에서 학습자의 수업 이해에 영향을 미치는 요인 2가지, A 교사가 언급한 것 이외에 추가적으로 반영할 수 있는 메시지 요소의 구체적 예시 2가지(4점)

> A 교사 : 교수매체를 활용하는 수업은 교사가 교수매체라는 수단을 활용해 메시지를 학생에게 전달하는 수업이라고 할 수 있습니다. 이러한 수업을 준비하기 위해서는 교사의 능력 등을 확인하는 것도 중요하지만, 교사가 보내는 메시지를 받는 학습자를 이해하는 것도 중요해요. 따라서 학습자가 수업을 이해하는 데 영향을 미치는 요인을 분석할 필요가 있어요. 그리고 교수설계에는 교사가 보낼 메시지의 주제와 세부 내용이 반영되어 있어야 하는데, 이외에도 메시지에 포함될 여러 요소가 있으므로 교수설계 시 다양한 요소를 반영할 필요가 있어요.

119 교수매체 모형

쉐넌과 쉬람(C. Shannon & W. Schramm)의 커뮤니케이션 모형에 근거할 때 두 학생의 의견에서 확인할 수 있는 수업 내 교사 – 학생 간 소통 활성화의 조건 2가지, 수업 내 교사 – 학생 간 소통 활성화를 위한 교사의 실행 방안 2가지(4점)

> A 학생 : 수학 선생님은 우리를 잘 이해하지 못하는 것 같아요. 안 그래도 수학이 어려운데 우리 배경지식은 생각도 안 하시고 자기 할 말만 하고 나가버리십니다.
> B 학생 : 선생님께서 매번 다양한 매체를 활용하려고 하시는데, 새로운 매체를 가지고 오시면 네트워크 환경이 불안정해서 수업을 준비하는 데만 20분이 지나버려요.

120 ASSURE 모형

하인니히(R. Heinich)의 ASSURE 모형에 근거할 때 A 교사가 분석할 수 있는 학습자 특성 2가지, A 교사가 매체 선정 시 활용할 수 있는 기준 2가지(4점)

> A 교사 : 올해에는 다양한 교수매체를 활용한 수업을 진행할 예정이에요. 수업 준비를 위해 매체활용 수업과 관련한 학습자 특성 분석에 집중하려고 해요. 그리고 수업에 활용할 매체를 선정할 예정인데, 학습목표와의 적합성 외에도 다른 기준을 적용하려고 합니다.

121 ASSURE 모형

A 교사가 언급한 것 외에 (가) 단계에서 교사가 해야 할 일 2가지, (나) 단계에서 교사의 실행 방안 2가지(4점)

> A 교사: 요즘 메타버스 교실 등 에듀테크를 활용한 교수방법이 널리 적용되고 있어요. 에듀테크를 활용한 수업을 설계할 때는 ASSURE 모형을 적용하는 것이 바람직한데, 이 모형에서는 매체와 자료를 선정하고 난 이후 (가) 단계와 (나) 단계를 거칠 것을 제안하고 있어요. (가) 단계에서는 에듀테크를 활용하여 수업을 진행하는 것이 중요한데, 이외에도 해야 할 일들이 많으니 참고해 주시길 바랄게요. 에듀테크 활용 수업에서의 수업 주체는 학생이기 때문에 (나) 단계 역시 매우 중요하니까 교사가 무엇을 해야 하는지 확인해주세요.

Chapter 05 교수학습 실행 122~127

| 모범답안 해설 p.075 |

122 교사중심의 교수학습방법

A 교사가 언급한 교수방법이 적합한 상황 2가지, 이 교수방법의 교수 효과를 높이기 위한 실천 방안 2가지(4점)

> A 교사 : 교사가 일방적으로 설명하는 수업 방식에 대한 비판이 있는 것도 사실이지만, 우리가 가장 많이 활용하는 수업 방식이기 때문에 이를 무조건 배척할 수는 없어요. 학습자들이 교사가 설명하는 것에 집중하고, 쉽게 이해할 수 있는 방안을 사용한다면 교수 효과가 더욱 높아질 것이에요.

123 교사중심의 교수학습방법

A 교사가 수업을 진행할 때 유의점 2가지, A 교사가 적용하려는 유형 외에 실시할 수 있는 질문 수업의 유형 2가지를 유형별 서로 다른 기능과 함께 제시(4점)

> A 교사 : 오늘은 지난 시간에 배운 내용을 토대로 여러분들에게 질문할 예정이에요. 단순한 내용을 물어보는 질문도 있고, 창의력을 요구하는 질문도 있으니까 질문을 잘 듣고 답해주기를 바랄게요.

124 학습자중심의 교수학습방법

토의·토론 수업을 통해 길러지는 역량 2가지를 이유와 함께 제시, 성찰문에서 제시한 문제를 예방하기 위한 구체적 방안 2가지(4점)

> 2022 개정 교육과정에 제시한 핵심 역량을 기르기 위해 지난 시간 토의·토론 수업을 실시했다. 오랜 기간 준비했지만 내 뜻대로 수업이 진행되지 않았다. 이미 배운 주제였음에도 학생들이 내용을 거의 잊어 수업 초반에 이를 다시 설명하느라 시간을 20분이나 할애했다. 겨우 토의·토론을 시작했는데, 계속 같은 학생들이 자기 주장만 하다가 싸우기까지 했다. 다음에는 이를 보완해야겠다.

125 학습자중심의 교수학습방법

A 학생의 언급에서 나타나는 협동학습의 단점 1가지, 이러한 단점을 방지하기 위한 교사의 구체적 수업전략을 도입-전개-정리 단계별로 각 1가지(4점)

> A 학생: 저는 협동학습만 하면 제가 손해라는 생각이 들어요. 5~6명의 친구들이 있지만 매번 1~2명이 모든 자료를 만들고 발표하고 나머지 친구들은 떠들고 놀기만 해요. 그런데도 같은 점수를 받는 것이 너무 불공평하다고 생각해요.

126 학습자중심의 교수학습방법

다음에서 제시한 교수법의 교육적 효과 2가지를 학습자 측면에서 제시, 이 교수법을 적용하는 경우에도 강의식 수업을 활용할 수 있는 상황 2가지(4점)

> 〈켈러(F. Keller)의 개별화 교수체제(PSI) 절차〉
> ① 한 과목을 15~30개 단원으로 나누고 단원마다 구체적 학습목표 및 학습지침 제공
> ② 학습자는 학습지침을 바탕으로 다양한 학습자료를 통해 스스로 학습
> ③ 학습자는 보조관리자(교사 또는 동료 학습자)와의 토의를 통해 학습
> ④ 학습자 스스로 학습했다고 판단하면 시험을 치르고, 시험에서 80~90% 이상 성취하면 다음 단원으로 넘어감

127 학습자중심의 교수학습방법

다음에서 제시한 교수학습방법을 교실 내에 적용하기 위한 교사의 실행 전략을 수업 전-중-후로 구분하여 각 1가지(3점)

> 미래 사회에서 강조하는 자기관리역량을 함양하고 개인의 끊임없는 성장을 이루기 위해서는 학교에서 강조하는 교수학습방법도 변화해야 한다. 학습자가 교육의 전 과정에서 자발적 의사에 따라 학습방법과 내용을 선택하고 결정하는 방법을 수업 내에서도 적용해야 할 것이다.

Chapter 06 디지털 대전환 시대 새로운 교수학습방법 128 ~ 132

128 새로운 교수방법

컴퓨터 보조학습(CAI) 유형 중 A 교사가 활용할 수 있는 유형 2가지, B 교사가 적용하려는 교수방법에 대한 교수설계 시 반영할 수 있는 게임적 요소 2가지(4점)

> A 교사: 디지털 대전환 시대에 컴퓨터를 활용한 새로운 교수학습 유형이 활성화되고 있어요. 저는 컴퓨터를 활용하여 학생들의 수준별로 다른 문제를 제시하고 싶어요. 그리고 실험이나 실습 과정에서 위험한 상황이 발생할 수 있으니까 이 경우에도 컴퓨터를 활용할 수 있을 것 같아요.
>
> B 교사: 좋은 방법이에요. 저는 학생들이 흥미를 느낄 수 있도록 게임형 교육을 적용하려고 합니다. 수업의 성공을 위해 교수설계에 게임적인 요소를 반영해야겠어요.

129 새로운 교수방법

A 교장의 의견에 근거할 때 학생의 디지털 소양을 함양하기 위한 구체적 교수·학습 활동의 예시 2가지, A 교장이 언급한 학습관리시스템(LMS)을 활용하는 방안 2가지(4점)

> A 교장: 변화하는 시대에 발맞추어 우리 교육 현장의 담대한 변화가 요구됩니다. 최근에는 학생들의 디지털 소양이 강조되고 있는데, 디지털 소양은 기기를 다루는 능력, 정보를 검색하는 능력에만 한정되는 것이 아니므로 학교 현장에서는 이와 다른 능력을 포함하는 다양한 디지털 소양을 함양시킬 수 있는 교수·학습 활동을 실행해야 할 것입니다. 이와 더불어 교사들은 학생들의 학습 과정과 결과를 체계적으로 관리해야 할 것인데, 이를 위해 EBS 온라인 클래스와 같은 학습관리시스템(Learning Management System; LMS)을 적극 활용할 필요가 있습니다.

130 새로운 교수방법

AI 교육 유형 중 A 교사가 강조하는 교육 유형의 적용 예시 2가지, 생성형 AI를 수업에 적용하는 경우 유의점 2가지(4점)

> A 교사 : 최근 AI가 급격하게 발전하면서 AI를 교육에 활용하는 시도가 많아졌어요. AI 교육이라고 하면 흔히 AI 기술을 활용한 교육만을 생각하기 쉽지만, 최근에는 AI 이해 교육과 AI 가치 교육도 강조되고 있어요. 앞으로 AI가 더욱 발전하면서 생성형 AI를 활용한 수업이 확대될 수 있으니까 이에 대비하는 것이 필요해요.

131 새로운 교수방법

원격수업의 3가지 유형을 유형별 서로 다른 기능과 함께 제시, 버지(Z. Berge)의 교사 역할 분류에 따를 때 A 교사가 제시한 문제를 해결하기 위한 교사 역할의 명칭(4점)

> A 교사 : 대면수업을 대체하거나 보완하기 위해 원격수업을 활용할 수 있어요. 2020년 교육부는 원격수업을 크게 3가지 유형으로 구분했는데, 유형마다 기능이 상이하니까 상황과 목적에 따라 다른 원격수업을 적용할 필요가 있어요. 다만, 이러한 온라인 학습 환경은 비대면성이라는 특성 때문에 학습자 간의 상호작용이 제약될 수 있으므로 교사의 적절한 역할이 필요하다고 생각해요.

132 새로운 교수방법

A 교사가 운영하려는 수업방식의 장점 2가지를 학습자 측면에서 제시, B 교사의 의견을 참고했을 때 해당 수업방식의 성공을 위한 실행 방안 2가지(4점)

> A 교사 : 단순히 설명만 하는 수업을 굳이 학교에서 할 필요가 있을까요? 중요 내용은 사전에 온라인을 통해 학습하고, 이후에 학교에서는 활동 중심으로 학습하는 것이 좋을 것 같아요. 전자를 디딤수업, 후자를 본시학습이라고 하는데 이 방식을 적극 활용하고자 합니다.
> B 교사 : 좋은 방안이네요. 학생들이 디딤수업을 열심히 듣게 하고, 디딤수업과 본시학습 간 연결고리를 확보하는 것이 이 수업방식의 성공 열쇠로 보입니다.

MEMO

문제 일람표

영역 구분		문제 번호
이해	기초	133
	운영	134
유형	기본적인 분류	135
	진행 과정에 따른 분류	136~137
	참조 준거에 따른 분류	138~139
	평가 영역에 따른 분류	140
	기타 유형	141~143
선정과 활용	문항 제작	144
	문항 분석	145~146
	검사의 양호도 분석	147~150
수행평가	컴퓨터를 활용한 평가	151
	과정과 활동에 대한 평가	152~154
교육연구방법론	교육연구방법	155~156
	연구의 타당성	157~158

최원휘 SELF 교육학
미라클모닝 300제

IV

교육평가

Chapter 01 교육평가의 기본적 이해 133 ~ 134

| 모범답안 해설 p.084 |

133 교육평가의 기초

새로운 평가 패러다임을 교실 내에서 실천하는 방안 2가지, 새로운 평가 패러다임에 따른 평가 설계 시 교사가 검토해야 할 사항 2가지(4점)

> 지금까지는 학습 결과에 대한 평가만이 강조되었다. 등급, 성적표를 제공하기 위한 평가와 같이 기존의 평가 패러다임에 따른 평가는 평가의 역할을 한정시키고, 학생들에게 과도한 스트레스를 불러일으킨다. 이제는 새로운 평가 패러다임을 적용해야 하는데, 학습을 위한 평가(Assessment for Learning)와 학습으로서의 평가(Assessment as Learning)가 바로 그것이다.

134 교육평가의 운영

다음의 교원 평가 결과에서 확인할 수 있는 평가의 오류 2가지를 각 오류에 따른 서로 다른 부정적 효과와 함께 제시, 이러한 오류를 해결하기 위한 교사의 실천 방안 2가지(4점)

평가 문항	답변
선생님의 좋은 점	과제를 제출하기만 하면 그래도 중간점수를 주시니까 좋아요. 물론 대부분이 중간점수이긴 하지만ㅎㅎ
선생님께 바라는 점	어일반, 어차피 일등은 반장... 반장이 착하고 열심히 하긴 하지만... 매번 반장만 일등 점수 주고... 반장은 백지를 내도 최고점일 거예요.

Chapter 02 교육평가의 유형 135 ~ 143

135 교육평가의 유형

B 교사가 가진 평가의 관점 2가지, B 교사가 활용할 수 있는 구체적인 평가 방법 2가지(4점)

> A 교사 : 평가에 대한 가장 전통적인 분류는 양적 평가와 질적 평가로 나눌 수 있습니다. 어떤 것이 우리 교육현장에서 바람직할 수 있을까요?
>
> B 교사 : 평가는 단순히 학습자의 상대적 위치를 알려고 하는 것보다는 학습자의 성장을 위한 자료를 얻기 위해 실시하는 것이라고 생각합니다. 교육의 궁극적 목적인 학습자의 전인적 성장을 위해서 평가가 활용되어야 하는 것이므로 학생을 종합적으로 분석하고 분석한 결과를 수치만이 아닌 가치적으로 판단할 필요가 있습니다.

136 교육평가의 유형

기초학력 진단을 위해 다음의 평가 절차를 거치는 이유 2가지, 평가 결과를 학부모·학습자에게 안내할 때 유의점 2가지(4점)

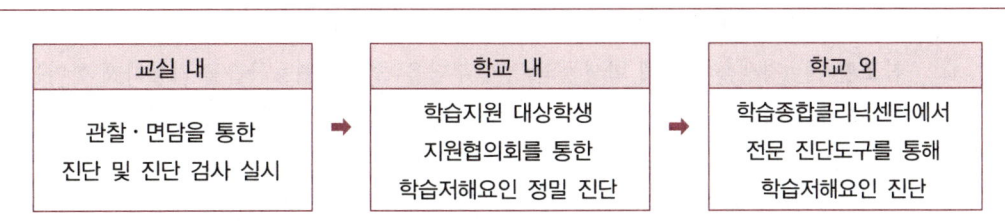

> 학부모 A : 어제 우리 아이가 학습지원 대상학생에 해당한다고 연락 받았어요. 우리 아이가 이렇게 공부를 못하는 아이였다니 너무 슬프네요.
>
> 학 생 B : 다른 아이들이 알면 어쩌죠? 저 왕따 당하면 어쩌죠?

137 교육평가의 유형

학생에게 피드백을 할 때 유의점 2가지를 서로 다른 이유와 함께 제시, B 교사가 언급한 피드백 유형의 적용 예시 2가지(4점)

> A 교사 : 형성평가는 학생들의 학습 이해도를 중간 점검한다는 점에서 의미가 있지만, 형성평가를 바탕으로 학생에게 피드백을 해준다는 점에서 더 큰 의미가 있다고 생각해요. 그런데 아직 교직 경력이 많지 않아서 그런지 의미를 실현하는 것이 잘 안 되더라고요. 어떻게 해야 피드백의 효과를 극대화할 수 있을까요?
>
> B 교사 : 형성평가는 주로 개념을 정확하게 암기·이해하였는지를 확인하는데, 학생들이 오답을 말하는 경우에는 몇 가지 유의점들을 확인하면 더 좋아요. 피드백과 관련해서 조금 더 전문적인 내용을 살펴보시는 것도 중요한데, 해티와 팀펄리(J. Hattie & H. Timperley)가 말한 과정 수준 피드백과 자기조절 수준 피드백을 실천해보면 좋은 효과를 발생시킬 수 있어요.

138 교육평가의 유형

보고서에서 제시한 준거 설정 방법이 갖는 장점과 단점 각 1가지, 준거참조평가의 결과 활용 방안 2가지(4점)

> 평가의 교육적 활용을 극대화하기 위해 성취평가제 등의 준거참조평가가 강조되고 있다. 준거참조평가는 경쟁을 완화해 학생들의 평가 부담을 줄이고 협동학습을 가능하게 한다는 점에서 장점이 있지만 준거 설정이 다소 어렵다는 단점이 있다. 이러한 단점을 해결하기 위해 다양한 준거 설정 방법이 제시되는데, 최소 능력자의 예상 정답률을 바탕으로 준거를 설정하는 방법이 가장 대표적이다. 이렇게 설정한 준거를 바탕으로 진행한 평가의 결과는 교육적 목적으로 다양하게 활용할 수 있다.

139 교육평가의 유형

A 교사가 실시하려는 평가 방식이 학생에게 미치는 긍정적 효과 2가지, 해당 평가 방식을 적용할 때 교사의 유의점 2가지(4점)

> A 교사 : 그간의 평가는 학생이 특정 시기에 얼마나 성취하였는지, 학생의 성취 수준이 어느 정도 위치에 있는지를 기준으로 운영되었어. 이제는 학생이 여러 시기에 걸쳐 얼마나 성장하고 있는지를 기준으로 평가해야 할 것 같아.

140 교육평가의 유형

A 교사가 평가할 수 있는 정의적 영역의 종류 2가지를 구체적인 평가 방법과 함께 제시, 정의적 영역에 대한 평가 시 교사가 겪을 수 있는 어려운 점 2가지(4점)

> A 교사 : 과거의 전통적 평가에서는 지식, 이해, 적용, 분석, 종합, 평가와 관련한 학습목표를 얼마나 잘 달성했는지를 평가하였습니다. 학생의 전인적 성장이 중요시되는 현재에는 학습자의 정의적 영역 또한 평가할 수 있어야 합니다. 그러나 정의적 영역을 평가하는 과정에서 교사는 어려움을 겪을 수 있으므로 사전에 이를 고민해보고 어려움을 극복할 수 있는 방안을 마련해야 할 것입니다.

141 교육평가의 유형

교실 내에서 A 교사가 강조한 평가를 실천하는 방안 2가지, B 교사의 언급을 고려할 때 평가 준비·실행 시 교사의 역할 2가지(4점)

> A 교사: 2022 개정 교육과정에서는 학생이 자신의 학습 과정과 결과를 스스로 평가할 수 있는 기회를 제공할 것을 강조하고 있습니다. 학생이 주체가 되는 평가를 통해 학생들은 미래 사회에 필요한 자기주도성을 함양할 수 있습니다.
>
> B 교사: 맞아요. 하지만 학생이 주체가 되는 활동은 학생 간 교육격차로 이어질 수 있으므로 준비·실행할 때 교사의 적극적 역할이 필요해요.

142 교육평가의 유형

A 교사가 강조한 평가 방식을 교실 내에서 실천하는 방안 2가지, 해당 평가를 통해 얻은 결과를 활용하는 방안 2가지(4점)

> A 교사: 현재 70점을 맞는 학생이라도 조금만 도와주면 언제든 100점을 맞을 수 있는 경우가 있습니다. 비고츠키가 근접발달영역의 학습을 위해서 동료나 교사의 도움을 중시했던 것처럼, 평가에서도 교사와 학생의 상호작용을 바탕으로 잠재 가능성을 평가할 수 있도록 평가 방식을 개선해야 합니다.

143 교육평가의 유형

A 교사가 실시하고자 하는 평가의 명칭과 해당 평가의 기능 1가지, 이때 A 교사가 활용할 수 있는 평가 기준 2가지(4점)

> A 교사: 매년 학생들을 평가하는데 이 평가 방식이 최선인지 언제나 의문이 있습니다. 올해는 교과협의회를 통해서 제가 시행한 평가가 효과적이었는지 평가하고자 합니다. 다음 회의 때는 유사한 평가 사례가 있는지, 해당 사례에서는 어떻게 평가했는지 알아보는 시간을 갖도록 하죠.

Chapter 03 평가방법의 선정과 활용 144 ~ 150

| 모범답안 해설 p.090 |

144 문항 제작

문항 제작 준비 단계에서 교사의 고려사항 2가지, 문항 제작의 청사진에 들어갈 요소 2가지(4점)

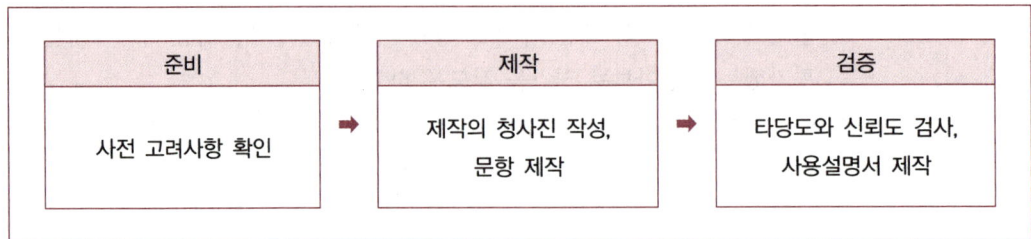

145 문항 분석

문항반응이론에 근거할 때 문항 난이도를 측정하는 방법과 이 방법에 따를 때 난이도가 가장 높은 문항, 객관식 문항에서 문항특성곡선의 기울기를 가파르게 하는 방법 2가지(4점)

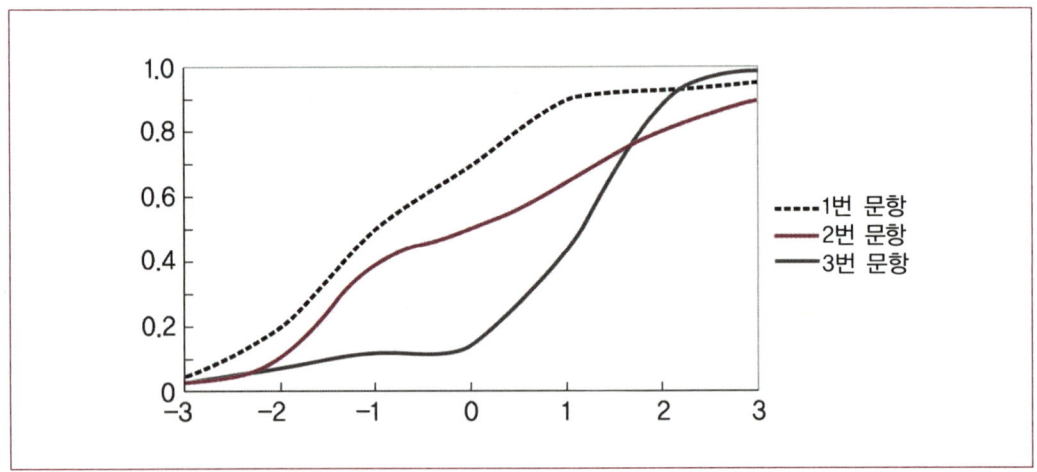

146 문항 분석

A 학생의 국어, 수학에서의 T점수를 구하고 학교 내 국어와 수학 성적이 각각 정상분포를 이루고 있다고 가정할 때 각각의 과목 점수가 상위 몇 퍼센트에 해당하는지 설명(4점)

> A 학생이 다니는 학교의 국어점수 평균은 70점이고 표준편차는 5이다. A 학생은 국어시험에서 80점을 받았다. 한편, 수학점수 평균은 60점이고 표준편차는 10이다. A 학생은 수학시험에서 70점을 받았다.

147 검사의 양호도 분석

A 교사가 언급한 타당도의 개념과 확보 방안 1가지, B 교사가 언급한 타당도의 2가지 종류와 확보 방안 1가지(4점)

> A 교사 : 최근 정의적 영역에 대한 평가가 중요시되고 있어요. 따라서 평가에서 구인타당도를 확보하는 것이 중요해요.
> B 교사 : 동의해요. 그런데 교·수·평·기 일체화를 위해서는 내용타당도 또한 강조해야 해요.

148 검사의 양호도 분석

A 교사가 언급한 타당도를 판단하기 위한 기준을 유형별 각 1가지, B 교사가 언급한 타당도를 측정하기 위한 요소 2가지(4점)

> A 교사 : 타당도가 높은 평가를 적용하고 싶은데, 그중에서도 공인타당도와 예측타당도가 높은 평가 방식을 사용하고 싶어요.
>
> B 교사 : 타당도를 판단함에 있어서 외적 변수의 관계를 파악하는 것도 중요하지만, 평가 결과에 기초한 타당도인 결과타당도가 높아야 좋은 평가라고 할 수 있어요. 결과 타당도를 측정하기 위해서는 학생의 학업성취 정도, 목표도달 정도 외에 다양한 요소를 측정하는 것이 바람직해요.

149 검사의 양호도 분석

신뢰도 측정과 관련하여 A 교사가 이전에 적용한 방식에 비해 새롭게 적용하려는 방식이 갖는 장점 2가지, 검사를 두 부분으로 나누는 구체적 방법 2가지(4점)

> A 교사 : 평가의 신뢰도를 측정하기 위해 이전에는 하나의 검사를 두 번 실시하여 두 검사결과 간의 상관관계를 분석했는데, 앞으로는 하나의 검사를 두 부분으로 나누어 부분 검사 간의 상관관계를 분석하려고 합니다.

150 검사의 양호도 분석

B 교사가 생각하는 좋은 평가를 위해 문항 제작 시 고려사항 2가지를 각각의 이유와 함께 제시, C 교사가 생각하는 좋은 평가를 위한 실행 방안 2가지(4점)

> A 교사 : 좋은 평가란 무엇일까요?
> B 교사 : 평가를 통해 얻은 결과값에 오차가 없을수록 좋은 평가라고 생각해요. 즉, 최대한 일관된 결과가 산출되는 평가가 좋은 평가입니다.
> C 교사 : 저 역시도 동의해요. 다만, 논·서술형 평가나 수행평가와 같이 평가자의 주관이 들어가는 평가가 많아지는 현실에서는 평가에 왜곡을 주는 주관을 배제하는 평가가 좋은 평가라고 생각해요.

Chapter 04 컴퓨터화 검사와 수행평가 151 ~ 154

| 모범답안 해설 p.094 |

151 컴퓨터를 활용한 평가

전통적 평가와 비교되는 에듀테크 기반 평가의 특징 2가지, 에듀테크 기반 평가의 구체적 적용 예시 2가지(4점)

강의 주제	강의 내용
평가에서의 에듀테크 활용	• 에듀테크 기반의 교수 방법이 활성화되는 것과 마찬가지로 에듀테크 기반의 평가 방법도 교육 현장에 빠르게 적용될 것으로 예상됨 • 에듀테크 기반의 평가는 평가 시점, 피드백 방식 등 전통적 평가와 확연히 다르므로 교사는 이에 적절히 대응할 필요 • 단순 컴퓨터를 활용하는 평가가 아닌 다양한 유형의 에듀테크 기반 평가를 확인하고 선제적으로 이를 적용해 볼 필요

152 학습 수행과정 및 활동에 대한 평가

A 교사가 언급한 것 외에 루브릭의 기능을 교사와 학습자 측면에서 각 1가지, 루브릭 설정 시 교사의 유의점 2가지(4점)

> A 교사 : 수행평가를 실시하는 데 있어서 채점 기준인 루브릭을 설정하는 것이 중요합니다. 특히, 평가자의 주관이 개입되기 쉬운 수행평가에서 루브릭은 평가의 신뢰도를 높이는 기능을 수행합니다. 이외에도 다양한 기능이 있으니 선생님들께서는 수행평가 시 루브릭 설정에 많은 노력을 기울이시기를 바라겠습니다.

153 학습 수행과정 및 활동에 대한 평가

과정중심평가의 기능 2가지, A 교사가 적용할 수 있는 평가기준 2가지를 서로 다른 평가방법과 함께 제시(4점)

> A 교사 : 성취기준에 따라 학생의 학습과정을 평가하는 과정중심평가를 적극적으로 적용하려고 합니다. 특히 이번에는 협동학습과 관련해 교사의 평가 외에 다양한 과정중심평가 방식을 적용할 것이고, 이 과정에서 학생들 스스로 원활하게 평가할 수 있도록 평가 기준을 제시해주려 합니다.

154 학습 수행과정 및 활동에 대한 평가

A 교사가 실시하려는 평가 설계 시 고려사항 2가지, A 교사가 언급한 채점방법별 장점 각 1가지 (4점)

> A 교사 : 학생들의 표현력, 고등정신 사고능력이 강조되는 상황에서는 선택형 문항, 기입형 문항을 통한 평가는 한계를 드러낼 수밖에 없습니다. 따라서 앞으로는 문제를 읽고 자신의 생각을 논리적으로 서술한 글을 평가하는 방식을 확대하고자 합니다. 글에 대해서 점수를 부여할 때는 분석적 채점방법과 총괄적 채점방법 중 상황에 맞는 채점방법을 적용할 수 있습니다.

Chapter 05 교육연구방법론 155~158

155 교육연구방법

A 교사가 학급운영을 위한 기초자료를 확보하기 위해 실시할 수 있는 구체적 연구방법 1가지, 해당 연구방법을 실시할 때 교사의 유의점 2가지(3점)

> A 교사: 코로나19로 대면접촉이 줄어들면서 아이들의 사회성이 떨어졌다는 지적이 많네요. 학급운영을 위해서 아이들의 사회성을 정확히 파악하고 아이들이 누구와 친한지 확인해야겠어요.

156 교육연구방법

A 교사가 활용하려는 척도기법의 명칭과 장점 1가지, 이러한 척도기법을 활용할 때 교사의 유의점 2가지(4점)

> A 교사는 학급 경영을 위한 기초자료를 수집하기 위해 '학생들이 생각하는 교사의 이미지'에 대해서 알아보고자 한다. 우선 교사의 이미지를 형용사로 표현하고 양극단에 반대 개념을 대응시켜 놓았다. 또한 이를 7점 척도로 하여 응답자의 생각이 그 중 어디에 위치하는지를 표시하도록 질문지를 구성하였다.

157 교육연구방법

다음의 연구에서 내적 타당도를 확보하는 데 장애가 되는 요인 2가지, 이를 통제할 수 있는 방안 2가지(4점)

> ○○대학교 교수학습센터의 A 연구원은 중학교 자유학기제가 학교생활 만족도에 미치는 영향에 대한 연구를 수행하고자 한다. 이를 위해 △△ 중학교 1학년 학생 중 실험 참여를 희망한 학생 30명으로 실험집단을 구성하였고, 1학년 3반 학생들을 편의표집하여 통제집단을 구성하였다. 이후 검사 도구와 기준을 설정하고 1학년 1학기 6월과 자유학기(1학년 2학기)가 끝난 2학년 1학기 4월에 검사를 진행하였다.

158 교육연구방법

A 교사가 확보하려는 타당도의 명칭과 표본의 대표성을 제고하기 위한 방안 2가지(3점)

> A 교사 : 교육 상황에 관한 연구의 주된 목적 중 하나는 연구 결과를 일반화하는 데 있는 것 같아요. 연구의 일반화를 위해서는 대표성 있는 표본을 추출하는 것이 무엇보다 중요하다고 생각합니다.

문제 일람표

영역 구분		문제 번호
이해	지능	159~163
	창의성	164~165
	자기주도성	166
	개인차	167~168
	영재교육	169
	특수교육	170
동기	기초	171
	인본주의	172
	인지주의	173~180
학습자의 발달	발달에 대한 이해	181
	인지적 영역 발달	182~183
	성격 발달	184~185
	사회성 발달	186~187
	도덕성 발달	188~190
교수학습 이해	행동주의	191~196
	인지주의	197~202
	효과적 교수	203~204

최원휘 SELF 교육학
미라클모닝 300제

V

교육심리학

Chapter 02 학습자에 대한 이해 159 ~ 170

| 모범답안 해설 p.100 |

159 학습자의 지능

드웩(C. Dweck)의 암묵적 지능이론에 근거할 때 B 학생과 C 학생이 학습 실패의 원인으로 지목할 수 있는 것을 학생별로 각 1가지, C 학생을 B 학생과 같은 관점으로 변화시키기 위한 방안 2가지(4점)

> A 교사: 학생 B와 C는 영재학교에 진학하고자 합니다. 얼마 전에는 사설 기관에서 영재 검사를 받았나 보더라고요. 둘 다 영재학교 입학생의 평균 IQ에는 조금 못 미치게 나왔는데, B는 지능지수가 상황에 따라 다르게 나오고 충분히 바뀔 수 있다고 믿고 있어요. 반면에 C는 오래 전에 했던 검사 결과와 크게 차이가 없다는 사실에 실망하여 앞으로도 자신의 지능지수가 올라가지 않을 것이라고 믿고 있더라고요. 낙심한 탓인지 평소에 거의 틀린 적이 없는 과학 쪽지 시험에서도 몇 문제 틀리기까지 했어요.

160 학습자의 지능

가드너(H. Gardner)가 다중지능이론을 통해 제시한 다양한 지능 중 A 교사가 강조하는 지능 2가지, 해당 지능을 함양하기 위한 교수 · 학습활동을 지능별로 각 1가지(4점)

> A 교사: 학생들의 전인적 발달을 위해서는 학생의 정서적 능력과 관련한 지능을 집중적으로 개발할 필요가 있어요. 특히 사회정서발달과 관련하여 자신을 이해하는 지능, 타인을 이해하는 지능을 개발하는 교수 · 학습활동을 적극적으로 적용해야 할 것입니다.

161 학습자의 지능

스턴버그(R. Sternberg)의 삼원지능이론에 따를 때 각 교사가 강조하는 지능 각 1가지, 이를 개발하기 위해 실시할 수 있는 교수·학습활동을 지능별로 각 1가지(4점)

> A 교사 : 인터넷이 발달하면서 누구나 지식과 정보에 접근할 수 있기 때문에 우리는 수업에서 학생들이 다양한 정보를 분석·평가·비교할 수 있는 능력을 키울 수 있도록 도와줘야 해요.
> B 교사 : 저는 복잡한 사회현실의 문제를 해결하기 위해 학생들이 사회변화에 재빠르게 적응하고 스스로 환경을 변화시켜 나갈 수 있는 실제적 능력을 키우는 것이 중요하다고 봐요.

162 학습자의 지능

샐로비와 메이어(P. Salovey & J. Mayer)가 언급한 감성지능의 개념, 감성지능을 높이기 위한 구체적 교수·학습활동 3가지(4점)

> 미래사회에서는 인지적·기술적 능력 중심의 전통적 지능 지수가 높은 인재보다는 정의적 능력까지 갖춘 인재가 중요하다고 할 수 있다. 따라서 학교에서는 학생의 감성지능 또한 함양시킬 수 있도록 다양한 교수·학습활동을 진행해야한다.

163 학습자의 지능

A 교사가 지적한 문제를 보완하기 위한 지능검사 방법 1가지, 지능검사 결과를 안내할 때 교사의 유의점 3가지(4점)

> A 교사 : 우리 학교는 다문화 학생의 비율이 절반을 넘다 보니 문화적 배경이 너무도 상이한 학생들이 많아요. 학생들을 이해하기 위해 지능검사를 실시했는데 문화적 요인이 지능검사 결과에 영향을 미치는 문제를 발견했어요. 그래서 이를 보완하는 방법을 찾고 있어요. 그리고 지능검사 결과를 학생과 학부모에게 안내해야 하는데, 지능검사의 본 목적을 달성할 수 있도록 몇 가지 사항들을 유의해야겠어요.

164 학습자의 창의성

창의성의 요소를 학습자의 인지적 측면과 정의적 측면에서 각 1가지, 창의성을 함양하기 위해 A 교사가 실행할 수 있는 방안 2가지(4점)

> A 교사 : 미래사회에는 하나의 교과 지식만으로는 해결할 수 없는 다양한 문제들, 그리고 예상치 못한 문제들이 많습니다. 이러한 문제를 해결하기 위해서 우리는 창의성을 강조할 필요가 있습니다. 학습자가 창의성을 함양할 수 있도록 준비시키고 창의적 사고를 유발할 수 있는 기회를 제공해줘야 합니다.

165 학습자의 창의성

A 교사가 언급한 창의성 계발 기법의 구체적 실행 방안 2가지, B 교사가 적용할 수 있는 창의성 계발 기법 2가지(4점)

> A 교사 : 교실 내에서 창의성 계발이 중요시되고 있어요. 저는 창의적인 아이디어 산출을 위해 브레인스토밍 기법을 적용하려고 해요.
> B 교사 : 저는 다른 교육적 효과까지 유발하는 기법을 적용하고자 해요. 학생들이 자신의 생각을 넘어 다양한 관점을 이해하고, 유추를 통해 상상력을 펼칠 수 있도록 하고 싶어요.

166 학습자의 자기주도성

자기주도성이 높은 학생의 특징을 목표 설정과 학습 과정 측면에서 각 1가지, 2022 개정 교육과정 총론에 근거할 때 자기주도 학습 능력 함양을 위한 교사의 실행 방안 2가지(4점)

> 〈2022 개정 교육과정 총론〉
> ■ (교수학습 가-4) 학생이 여러 교과의 고유한 탐구 방법을 익히고 자신의 학습 과정과 학습 전략을 점검하며 개선하는 기회를 제공하여 스스로 탐구하고 학습할 수 있는 자기주도 학습 능력을 함양할 수 있도록 한다.

167 학습의 개인차

위트킨(H. Witkin)의 학습양식 구분에 따를 때 A 학생의 학습양식 유형의 명칭, A 학생의 학습을 촉진하기 위한 교사의 실행 방안 2가지(3점)

> A 학생 : 저는 사회의 문제와 사람들의 이야기를 다루는 사회 과목을 좋아합니다. 또, 저는 공부를 할 때 타인의 시선을 많이 신경쓰는 편인데요, 그러다 보니 선생님과 부모님의 칭찬과 벌에 많은 의미를 부여해요.

168 학습의 개인차

콜브(D. Kolb)의 학습유형 분석에 근거할 때 학생별 학습유형의 명칭과 그에 적합한 교수·학습 활동 각 1가지(4점)

> A 학생은 새로운 상황에 대해서도 잘 적응하고 구체적 경험을 통해 정보를 지각하고자 한다. 또한 활동적인 실험을 통해 문제를 해결하는 것을 선호한다. 반면, B 학생은 추상적 개념을 통한 지식 습득을 선호하고 사고를 바탕으로 습득한 내용을 이론화하는 것을 선호한다.

169 영재교육

영재아의 판별 기준 2가지, 영재아의 교육을 위해 A 교육청이 실시하려는 방침의 장점과 단점 각 1가지(4점)

> A 교육청은 지역에서 별도로 영재아를 선발하여 맞춤형 교육 지원을 실시하려 한다. 이를 위해 급격한 환경 변화에 창의적·능동적으로 대응하는 학생을 미래 영재로 새롭게 정의함과 동시에 영재학생에 대한 교육방침을 새롭게 수립하였다. 특히 영재학생이 빠른 시간 내에 초·중등 교육을 이수하고 이른 나이부터 전문적인 고등교육을 받을 수 있도록 월반제를 적극 활용하기로 했다.

170 특수교육

A 교사가 언급한 주의력결핍–과잉행동장애 학생을 판별·안내할 때 유의점 2가지, 이러한 학생을 지도하기 위한 교실 내 실천 방안 2가지(4점)

> A 교사: 우리 반에 집중력이 굉장히 낮고 수업 중 갑자기 소리를 지르거나 교실 밖으로 나가는 학생이 있어요. 아무래도 주의력결핍–과잉행동장애를 겪고 있는 것으로 생각되는데, 어떻게 하면 좋을지 고민이에요.

Chapter 03 학습자의 동기 171 ~ 180

| 모범답안 해설 p.106 |

171 동기의 기초

학습 동기가 갖는 교육적 기능 2가지, A 교사가 언급한 학습 동기를 유발하기 위한 교실 내 실천 방안 2가지(4점)

> A 교사 : 신규 선생님들께서는 입직 초기에 새로운 교육과정과 혁신적인 교수법을 적용하려고 노력하는데, 생각만큼 교육활동이 진행되지 않아 좌절하는 경우를 많이 볼 수 있어요. 다양한 수단·기술을 적용하는 것도 의미가 있지만, 학생들의 배움을 위해서는 학습 동기 유발이 더욱 중요해요. 특히 진정한 배움은 학습 그 자체가 보상이 되는 동기가 있을 때 더욱 촉진될 수 있으니 선생님들께서 이러한 동기를 유발하는 방법들을 고민해 보시면 좋겠네요.

172 인본주의 동기이론

매슬로우(A. Maslow)의 욕구위계이론에 따를 때 아래 제시된 ○○교육청의 정책을 통해 충족시키고자 하는 욕구의 유형 2가지, 존경 욕구(Esteem Needs)를 충족시키기 위한 교실 수업 방안 2가지(4점)

> ○○교육청은 전국 최초로 각 학교에서 점심시간 이후 낮잠시간을 편성할 수 있도록 하였다. 이러한 조치는 최근 과도한 수행평가 등 학생들의 학습 부담이 증가함에 따라 학생들의 수면 시간이 줄어드는 것에 대한 보완책으로, 학생들의 건전한 발달에 도움이 될 것으로 기대되고 있다. … (중략) … 한편, ○○교육청은 이날 학교폭력 예방 및 해결에 관한 조례를 공포하고, 24시간 연락 가능한 핫라인을 개통하였다. A 교육감은 "교육청의 역할은 올바른 교육이 진행되기 위한 교육환경 조성"에 있다면서도 "학생들이 존경 욕구를 충족할 수 있도록 선생님들의 각별한 관심과 노력이 필요하다."라고 밝혔다.

173 인지주의 동기이론

와이너(B. Weiner)의 귀인이론에 따를 때 A 학생이 생각한 낮은 수학 점수의 원인 분석, A 학생의 학습 동기 유발을 위한 교사의 지도 방안 2가지(3점)

> 학생 A는 소위 '수포자'로 불릴 만큼 수학 학습에 대해 그 어떤 동기도 없고, 노력도 하지 않는다. 중학교 1학년 때 기말고사를 망치고 부모님께 심하게 혼난 이후로 수학 시험 전날이면 잠을 못 잘 정도로 불안해 했고, 시험시간에는 너무 떨리고 긴장해서 눈앞이 캄캄해진 경우가 많았다. 그 결과 공부한 것에 비해 매우 낮은 수학 점수를 받았다. 결국 A는 "내 머리는 수학과 안 맞아서 뭘 해도 안 될 거야"라고 생각하며 수학시간에는 잠을 자거나 다른 공부를 하게 되었다.

174 인지주의 동기이론

자아효능감이 높은 학생이 학습 과정 중에 보이는 태도 2가지, 자아효능감을 높이기 위한 교사의 실행 방안 2가지(4점)

> A 교사: 과제를 성공적으로 수행할 수 있다는 자신의 능력에 대한 믿음의 정도인 자아효능감에 따라 학생들의 수업 태도가 확연히 달라요. 최근 학생들의 자율성이 강조되면서 수업에서도 자율적 목표 설정과 수행에 대한 자기평가가 활성화되고 있는데, 자아효능감 정도가 수업의 효과성에도 큰 영향을 미치더라고요. 학생들에게 자율권을 부여함과 동시에 학생들의 자아효능감을 높이는 방안도 함께 모색해야겠어요.

175 인지주의 동기이론

데시와 라이언(E. Deci & R. Ryan)의 자기결정성 이론에 따를 때 학생들이 결핍되어 있을 것이라 예상되는 욕구 2가지, 해당 욕구를 충족시키기 위한 협동적 교수학습 활동을 욕구별로 각 1가지(4점)

구분	자기평가 내용 및 과업
학습 동기 관리	우리 반 학생들은 어려서부터 부모님이 시키는 대로 학원 다니기에 급급했고, 학원에서는 학생의 현재 수준을 고려하지 않은 과도한 선행학습을 실시해 학생들에게 학업 스트레스를 유발하는 중. 이로 인해 학습 동기가 굉장히 저조한 상황 → (과업) 학습 동기를 떨어뜨리는 원인을 체계적으로 분석하고 이를 해소할 수 있는 협동적 교수학습 활동을 마련할 것

176 인지주의 동기이론

다음에서 밑줄 친 동기 상태에 있는 학생이 공부를 하는 이유를 상태별로 각 1가지, 교사가 실행할 수 있는 구체적 보상의 예시를 다음에서 제시한 보상의 유형별로 각 1가지(4점)

데시와 라이언(E. Deci & E. Ryan)은 자기결정성 이론의 하부 이론으로서 유기체적 통합이론과 인지적 평가이론을 제시한다. 유기체적 통합이론에서는 동기를 크게 무동기, 외재적 동기, 내재적 동기로 구분하고, 외재적 동기의 상태는 다시 외적 규제, <u>부과된 규제</u>, <u>확인된 규제</u>, 통합된 규제로 구분한다. 또한, 인지적 평가이론에서는 교사가 제공하는 보상을 정보적 측면의 보상과 통제적 측면의 보상으로 구분한다.

177 인지주의 동기이론

엘리엇(A.J. Eliiot) 등이 세분화한 목표유형에 근거할 때 A 학생이 가진 목표유형이 학습에 미치는 악영향 2가지, B 교사가 실시할 수 있는 학생 지도방안 2가지(4점)

> 학생 A는 자신이 다른 친구들보다 무능하게 보일까봐 걱정한다. 그래서 선생님이 질문하신 내용이 자기가 아는 내용이라 할지라도 혹시나 틀릴까봐 선뜻 손을 들고 발표하지 않는다. 조별 수업을 진행할 때도 자신의 이야기를 하는 경우는 거의 없다. B 교사는 A가 타인의 시선이 아닌 자신만의 시선을 가지고 목표를 설정하도록 지도하고자 한다.

178 인지주의 동기이론

앳킨슨 외(J. Atkinson et al.) 성취동기이론에 근거할 때 학생들의 성취동기를 유발하기 위한 교수전략을 학생별로 각 1가지(3점)

> A 교사 : 학생 B는 실패하더라도 그 원인이 자신의 노력에 있다고 생각해서 다음에는 노력을 더 하거나 성공을 위해 다른 전략을 사용하려고 부단히 노력해요. C와 D는 조금 다른데, C는 새로운 과제를 선택하기 무서워하고 실패하는 경우에는 변명하기에 급급해요. D는 조금 더 심각한데, 아무런 학습목표도 없고 실패하는 것을 당연하다고 생각하고 있어요.

179 인지주의 동기이론

2015년도 행시(교심) 응용

기대가치이론에 근거하여 한국 학생들이 수학 과목에 대한 학습동기가 낮은 이유 2가지, 수학 과목의 학습동기를 높이기 위한 학습과제 구성방안 2가지(4점)

> 최근 '국제학업성취도평가 연구(PISA)'에 따르면 한국 학생들의 수학 영역 학업성취도는 세계 최상위권인 것으로 나타난 반면, 수학적 자아개념은 OECD 평균보다 매우 낮은 것으로 드러났다. '수학적 자아개념'이란 수학을 잘하는지, 수학 성적을 잘 받고 있는지 또는 수학을 빨리 배우고 다른 곳으로 활용하는 것을 의미하는 것으로 … (후략) …

180 인지주의 동기이론

TARGET 원리를 기초로 A 교사가 사용할 수 있는 학습동기 촉진방안 3가지(3점)

> A 교사 : 지난번 연수를 들어보니 학생들이 깨어 있는 교실을 만들기 위해 TARGET 원리를 적용하는 것이 중요하다고 하더라고요. 과제(Task), 권위(Authority), 인식(Recognize), 협력(Grouping), 평가(Evaluation), 시간(Time)의 측면에서 학습자의 동기를 촉진할 수 있는 방안을 만들어봐야겠어요.

Chapter 04 학습자의 발달 181~190

181 발달에 대한 이해

브론펜브레너(U. Bronfenbrenner)의 생태이론에 근거할 때 (가)와 (나)에 해당하는 예시 각 1가지, 시간체계를 이해하기 위한 방안 1가지(3점)

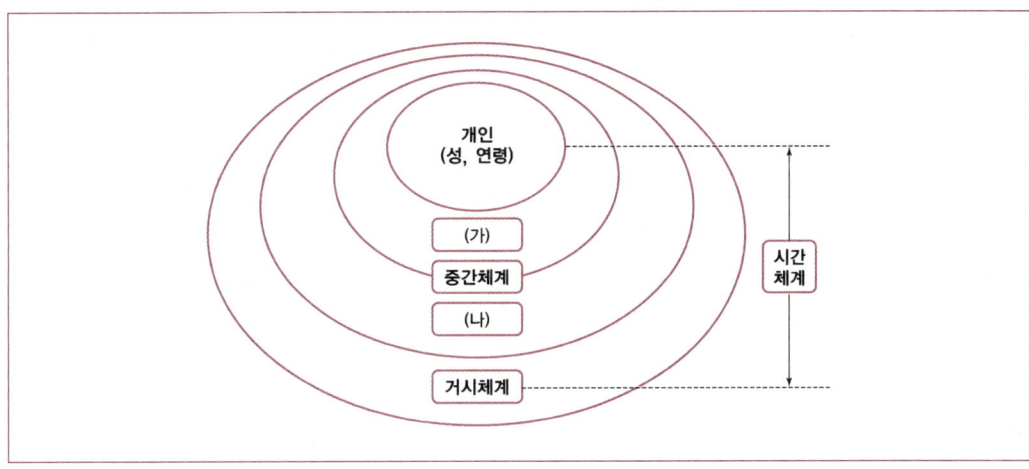

182 인지적 영역의 발달

다음과 관련 있는 인지발달이론에 근거할 때 인지발달이 나타나게 된 과정 설명, 인지발달을 위한 교사의 역할 1가지, 가장 높은 발달 수준에서 보이는 사고의 양태 2가지(4점)

> 발달이 학습에 선행한다. 학습은 발달에 뒤따라오며, 이미 발견된 구조를 증명하는 것이다. 학습자와 사회적 환경의 관계와 관련해 본 이론은 능동적인 학습자를 가정하고, 사회적 환경은 학습자의 능력을 발달시키는 데 중심적인 역할을 하지 않는다고 본다. 즉, 학습과 발달은 분리된 것이다.

183 인지적 영역의 발달

비고츠키(L. Vygotsky)의 인지발달이론에 따를 때 협동학습의 장점 1가지, 비계설정(scaffolding)의 구체적인 방법 3가지를 방법별 예시와 함께 제시(4점)

> 학습은 발달에서 중요한 역할을 하며, 학습자가 근접발달영역 내에서 교사 혹은 유능한 또래로부터 과제를 교수받는 것처럼, 학습이 발달을 이끈다. 이때 능동적인 학습자와 능동적인 사회적 환경은 발달에서 협력적인 관계이다.

184 성격 발달

에릭슨(E. Erikson)의 성격발달이론에 따를 때 A 학생이 경험하는 성격발달 단계의 명칭, 지문에서 언급된 방안 외에 A 학생의 심리사회적 위기를 해결하도록 돕는 방안 3가지(4점)

> 중학생인 A는 2차 성징을 겪으며 급격한 신체 변화를 경험하고 있지만, 정신적 변화는 이에 따라가지 못하는 상태이다. 정신적 혼란을 겪으면서, A는 이전에 해결하였다고 생각한 심리사회적 위기를 반복해서 경험하고 있다. 이에 담임교사인 B는 과거 A와 유사한 경험을 했던 자신의 사례를 보여주면서 모델링을 통해 A가 심리사회적 위기를 극복할 수 있도록 돕고 있다.

185 성격 발달

마샤(J. Marcia)의 정체성 지위 이론에 근거할 때 B 학생의 정체성 지위 상태의 명칭, B 학생의 정체성 형성을 위한 교사의 실행 방안 2가지(3점)

> A 교사 : B 학생은 자신의 진로에 대해 고민을 해본 적도 없고, 언제나 무기력하게 교실에 앉아 있기만 해요. 그 어떤 것도 주도적으로 하지 않고 교사나 부모가 시키는 일도 어느 정도의 수준까지만 하고 쉽게 포기합니다.

186 사회성 발달

셀만(R. Selman)의 사회적 조망 수용이론에 근거할 때, B 학생의 사회성 발달 단계 명칭, B 학생과 같은 단계인 학생들의 사회성 발달 수준을 한 단계 더 높이기 위한 구체적 교수·학습 활동의 예시 2가지(3점)

> A 교사는 학생들의 사회성 발달 수준을 사회적 조망 수용이론에 따라 분석하기로 했다. 그러던 중 C 학생과 다툰 B 학생이 찾아와 "C가 일부러 나랑 싸우려고 한 건 아닌 걸 알아요. 그래도 내가 얼마나 속상했을지 C는 모르겠죠. 걔도 아마 미안하긴 할 거예요."라고 말했다. 이에 A 교사는 B 학생이 어느 정도는 타인의 관점을 이해한다고 분석하였다.

187. 사회성 발달

다음에서 언급한 요인 이외에 학생의 사회정서 발달에 영향을 미치는 학교 내 요인 1가지, 학생의 사회정서를 발달시키기 위해 실시할 수 있는 구체적 교수·학습활동 3가지(4점)

> 최근 여러 연구 결과와 뉴스 등을 보면 학생들이 지식적인 측면에서는 과거에 비해 훨씬 많은 것을 알고 있지만, 사회의 일원으로서 필요한 지식과 행동은 그에 따르지 못한다는 것을 알 수 있습니다. 학교는 작은 사회로서 학생들의 사회정서를 발달시키는 장(場)이 되어야 합니다. 학생들은 또래와의 관계라는 요인을 통해 사회정서 능력을 함양하기도 하지만, 다른 요인을 통해서도 관련 역량 등을 발달시킬 수 있습니다. 선생님들께 학생들의 사회정서를 발달시킬 수 있도록 교실 현장에서 다양한 교수·학습활동을 실시해주실 것을 요청합니다.

188. 도덕성 발달

피아제(J. Piaget)의 도덕성 발달이론에 따를 때 가장 상위 발달 단계에서의 규칙에 대한 관점, 이 관점에 근거하여 A와 B 중 더욱 잘못한 학생이 누구인지 평가하고, 학생의 도덕성 발달을 위해서 담임교사로서 실시할 수 있는 실행 방안 1가지(3점)

> ○○중학교는 매년 창문을 깨뜨리는 학생들로 인해 골머리를 앓고 있다. 이에 학생이 창문 1개를 깨뜨릴 때마다 벌로 교내 청소를 1달 동안 수행해야 한다는 규칙을 만들었다. 이후 학생 A는 선생님의 심부름을 하다가 실수로 창문 2개를 깨뜨렸고, B는 교실에서 교칙상 금지된 실내화 축구를 하다가 창문 1개를 깨뜨렸다.

189 도덕성 발달

콜버그(L. Kohlberg)의 도덕성 발달이론에 따를 때 다음 문제에 관해 3, 4단계 학생이 제시할 수 있는 답변 각 1가지, 이 이론이 도덕성 교육에 주는 시사점 2가지(4점)

> 전날 술을 많이 먹어 아직 술이 덜 깬 것 같다. 그런데 아침에 일어나 보니 내 아이가 너무 아파 30분 안에 병원에 가야 할 것 같다. 내가 운전을 해서 신호를 위반하고 간다면 시간 내에 병원에 도착할 수 있을 것 같은데.. 어떤 선택을 하겠는가?
>
>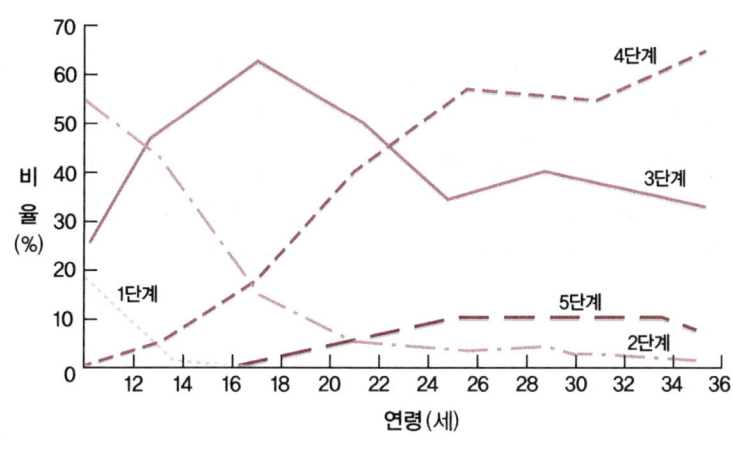

190 도덕성 발달

콜버그(L. Kohlberg)의 도덕성 발달이론에 대한 길리건(C. Gilligan)의 비판 1가지, 길리건에 따를 때 학생의 도덕성 발달을 위한 방안 2가지(3점)

> A 교사 : 저는 도덕성이 타인에 대한 동정과 배려라고 생각합니다. 처음에는 자기만 생각했던 학생이 자기희생을 인식하고, 이후에는 자신을 넘어 타인에 대한 책임으로까지 나아가게 하는 것, 그것이 도덕성 교육이라고 생각합니다.

Chapter 05 교수학습의 이해 191~204

| 모범답안 해설 p.116 |

191 행동주의 학습이론 2024년도 행시(교심) 응용

사회인지이론(social cognitive theory)에 근거할 때 A 학생이 경험하고 있는 불안의 원인 1가지, 고전적 조건형성과 조작적 조건형성을 적용하여 A 학생의 불안을 해소할 수 있는 방안 각 1가지 (3점)

> A 학생은 수업 시간에 발표할 때마다 극심한 불안을 경험하고 있다. 열심히 준비했음에도 불구하고, 발표 몇 주 전부터 걱정으로 잠을 못 이루고 집중하는 것도 힘들어 한다. 발표 당일 불안은 최고조에 달하는데, 땀을 흘리거나 몸이 떨리는 등 신체 증상을 보이기까지 한다. 이러한 불안은 수업 상황뿐만 아니라, 친구들과의 관계에까지 영향을 미치고, 전반적으로 A 학생의 자신감을 떨어뜨리는 주요 원인이 되고 있다.

192 행동주의 학습이론

행동의 빈도를 증가시키기 위해 B 교사가 강화 시 적용한 원리의 명칭, 이 원리를 적용할 때 유의점 1가지, 학생의 반응률을 높이기 위해 C 교사가 실시할 수 있는 강화계획 1가지를 구체적인 예와 함께 제시(3점)

> A 교사 : 수업 중 질문을 하라고 해도 아이들은 거의 질문하지 않아요. 질문 횟수를 높이기 위해 선생님들은 어떤 방법을 사용하시나요?
> B 교사 : 저는 좋아하는 행동을 좋아하지 않는 행동의 강화물로 사용하고 있습니다. 아이들은 수업이 조금이라도 일찍 끝나서 쉬는 시간이 조금 더 생기는 것을 좋아하더라고요. 그래서 수업시간에 질문을 많이 하면 수업을 5분 정도 먼저 끝내고 교실에서 쉴 수 있도록 했더니 질문을 많이 하더라고요.
> C 교사 : 저는 아이들이 질문을 할 때마다 호기심 스티커를 줬고 그걸 10장 모으면 참여점수 1점을 추가로 주기로 했어요. 그런데 매번 스티커를 줘서 그런지 요새는 아이들이 예전만큼 적극적이지 않더라고요.

193 행동주의 학습이론

학생에 대한 교사의 처벌이 필요한 상황 2가지, 처벌 시 교사의 유의점 2가지(4점)

> A 교사 : 처벌이 갖는 부정적 효과에도 불구하고 교육적 목적 달성을 위해 처벌을 불가피하게 사용해야 하는 경우가 있습니다. 다만, 이 경우에도 교육적 목적을 절대 잊지 않아야 할 것입니다.

194 행동주의 학습이론

조형(shaping)과 소거(extinction)의 개념, 이를 활용하여 C 학생의 태도를 바꿀 수 있는 방법 2가지(4점)

> A 교사 : 우리 반 학생 C가 걱정이네요. 숙제를 내면 제출한 적이 한 번도 없고 매번 미루기만 해요. 그리고 수업 시간에는 얼마나 산만한지… 좋은 방법이 없을까요?
> B 교사 : 행동주의 학습이론을 통해 C의 생활습관을 바꿔보는 것은 어떨까요? 조형을 통해서 좋은 습관을 유도할 수 있고, 소거를 통해서 나쁜 습관을 없애보는 것도 좋을 것 같아요.

195 행동주의 학습이론

데시(E.Deci)가 제시한 과정당화(overjustification) 가설을 설명하고 이 이론에 따른 A의 학습 동기가 낮아진 이유 1가지, 학교에서 보상을 제시할 때 유의점 2가지(4점)

> A는 어려서부터 수학에 흥미를 느껴 어려운 수학 문제를 푸는 것을 좋아했다. 그런데 수학 시간에 선생님이 내주신 문제를 맞히면 칭찬 스티커를 제공하는 방식이 도입되자, A는 자신이 맞힐 것 같은 문제만 선택하게 되는 등 수학에 대한 동기가 예전보다 낮아졌다.

196 행동주의 학습이론

교육 현장에서 대리강화가 효과적인 이유 2가지, 모방을 촉진하기 위한 교사의 모델 제시 전략 2가지(4점)

> A 교사: 우리는 무엇이 올바르고 그른지 학생들에게 알려주고, 학생들의 행동을 교정하기 위해 강화와 벌을 사용합니다. 그러나 때로는 대표적인 사례를 제시해 줌으로써 학생을 변화시킬 수 있습니다. 즉, 학생들은 자신이 직접 강화와 벌을 받지 않아도 때로는 사례를 통해 대리 경험을 하기도 합니다.

197 인지주의 학습이론

교사의 말에 대한 학생의 주의집중도를 높일 수 있는 방법 2가지, 작업 기억 용량의 한계를 극복할 수 있는 방법 2가지(4점)

> A 교사 : 아이들이 학습내용에 보다 잘 집중하고 잘 기억하게 하는 것이 가장 기본적인 수업 전략이라고 생각합니다. 오늘 선생님들과의 의견 나눔을 통해 아무리 시끄러운 상황이어도 제 말에 집중시킬 수 있는 방법, 그리고 학생들이 학습내용을 잘 기억할 수 있게 하는 방법을 알고 싶네요.

198 인지주의 학습이론

앳킨슨과 쉬프린(R. Atkinson & R. Shiffrin)의 정보처리이론에 근거할 때 A 학생이 겪는 문제를 해결하기 위한 교사의 실행 전략 3가지를 전략별 구체적 예시와 함께 제시(3점)

> A는 수업에 열심히 참여하고 질문도 많이 하는 학생이다. 그러나 시험에서는 언제나 낮은 성적을 거두고 있다. A와 면담해 보니 수업 시간에는 학습내용이 이해가 가지만 수업이 끝나면 머릿속에 정확하게 남지 않는 것 같다는 이야기를 들었다.

199 인지주의 학습이론

A 학생이 인출에 실패한 현상의 명칭, 장기기억 속 정보의 인출을 돕기 위해 실시할 수 있는 교수·학습활동 3가지 (4점)

> 학생 A는 오늘 수업 시간에 「AI 시대를 선도하는 학습자」라는 책을 읽고 친구들과 질의응답을 하였다. A는 책을 읽을 때는 재미나게 읽었는데, 막상 질문을 받으니 책의 내용이 어렴풋하게만 생각나고 정확하게 기억이 나지 않았다. 오늘 A가 가장 많이 한 말은 "아 그거 있잖아. 그거 뭐였더라?"였다.

200 인지주의 학습이론

메타인지가 높은 학생의 특징을 목표 설정과 성과 귀인 측면에서 각 1가지, 학습자의 메타인지 활용을 촉진하는 학습자 참여 중심의 학습활동 2가지 (4점)

> 고등학교 1학년 학생들을 대상으로 여러 단어 쌍을 암기하는 실험을 진행하였다. 실험은 두 집단으로 나뉘어 진행되었는데, A 집단은 교사가 지시한 대로 읽은 내용을 다시 읽어보는 '재학습' 방법으로, B 집단은 퀴즈처럼 스스로 질문하고 답하도록 하는 '셀프테스트' 방법으로 단어 쌍을 학습하도록 하였다. 실험 결과 B 집단이 A 집단에 비해 암기 점수가 유의미하게 높은 것으로 나타났다. 또한, A 집단이 B 집단에 비해 자신의 예상 점수를 실제 점수보다 더 높게 추측하는 양상을 보였다.

201 인지주의 학습이론

A 학생이 경험하고 있는 망각의 유형 2가지와 각각의 망각 발생을 방지하기 위한 교수·학습 전략 2가지(4점)

> A 학생은 이번 사회 시간 말미에 갑자기 지난 시간에 배운 내용과 오늘 배운 내용에 대해 쪽지 시험을 보게 되었다. 1번 문제는 분명 쉬운 문제고 지난 시간에 쉽게 이해한 내용이었는데 하나도 기억이 나지 않았다. 2번 문제는 오늘 새롭게 배운 내용이었는데, 이전 시간에 배웠던 내용과 헷갈리는 개념이어서 그런지 이전 시간에 배운 내용만 생각나고 오늘 배운 내용은 기억이 나지 않았다.

202 인지주의 학습이론

각 교사의 의견을 참고할 때 전이에 영향을 미치는 요인 2가지, 전이를 촉진하기 위한 구체적 방안 2가지(4점)

> A 교사 : 이전에 배운 내용과 앞으로 배울 내용이 잘 연계될 때 학습의 전이가 촉진된다고 봐요.
> B 교사 : 저는 학교에서 배우는 내용이 실생활에 도움이 될 때 학습의 전이가 촉진된다고 생각합니다.

203 효과적인 교수

교사효능감이 학생에게 미치는 영향 2가지, 교사효능감을 높이기 위한 학교 차원의 지원 방안 2가지(5점)

> OECD의 TALIS(Teaching And Learning International Survey)에 따르면 우리나라 교사들은 "학생들에게 학업을 잘 해내고 있다는 믿음 주기", "학생들이 배움을 가치 있는 것으로 여기도록 돕기" 등의 문항에서 긍정적으로 응답한 비율이 국제 평균보다 다소 낮았으며, "학생들의 행동에 대한 기대를 명확히 하기" 등의 문항에 긍정적으로 응답한 비율은 평균에 비해 10%p 낮았다. 즉, 우리나라 교사들의 교사효능감은 국제 평균에 비해 낮다고 할 수 있다.

204 효과적인 교수

수업에 성공하는 교사의 특성 2가지, 수업 효과를 증진시키는 촉진적 교수전략 2가지(4점)

> 우수한 교사는 특출난 소수의 교사만을 의미하는 것이 아니다. 자신만의 방식을 통해서 수업을 성공적으로 이끄는 교사라면 누구나 다 우수한 교사가 될 수 있다. 그렇다면 성공적인 수업이란 무엇일까? 필요한 내용이 정확히 전달되어야 하는 것은 물론이거니와, 교사가 가진 열정이 충분하고 그것이 학생들의 공감을 불러일으키는 수업이라고 정의할 수 있지 않을까? 최근 학습자의 학습 참여가 강조되는 현실에서 수업의 효과를 촉진할 수 있는 전략을 마련해 보는 것은 어떨까?

MEMO

문제 일람표

영역 구분		문제 번호
생활지도와 진로지도	기본적 이해	205~206
	이론	207~211
	생활지도의 실제	212
정신건강과 학생상담	정신건강	213~214
	상담 기본	215
	상담이론	216~219
	상담의 실제	220

VI

생활지도 및 상담

Chapter 01 생활지도와 진로지도 205~212

|모범답안 해설 p.126|

205 생활지도의 기본적 이해

A 교사의 의견을 참고했을 때 생활지도 실천 시 지켜야 할 원칙 3가지를 원칙을 실천하는 방안과 함께 제시(3점)

> A 교사 : 학생 맞춤형 교육이 강조되는 최근의 경향에 맞추어 생활지도 또한 학생 맞춤형으로 이루어져야 합니다. 최근에는 학생들이 겪는 생활 문제가 다양해지고 있기 때문에 학생들의 성장을 위해 생활지도의 중요성이 더욱 커졌다고 할 수 있습니다.

206 진로지도의 기본적 이해

A 교사가 기존에 실시한 진로지도 방법과 비교할 때 새롭게 실시하려는 진로지도 방법의 장점 2가지, 새롭게 실시하려는 진로지도 방법의 구체적 적용 예시 2가지(4점)

> A 교사 : 지금까지는 학생들과 진로 체험처를 방문하거나 외부 강사 초청 강연을 열어 진로지도가 이루어졌는데, 올해부터는 교과 수업시간과 학교 진로교육 성취기준을 자연스럽게 연계하여 진로교육 관련 내용이 반영된 교과수업을 통해 진로지도를 실시할 예정이에요.

207 생활지도 · 진로지도 이론

파슨스(F. Parsons)에 따를 때 진로지도 시 고려해야 할 요인 2가지, 로우(A. Roe)에 따를 때 진로지도 시 학습자를 이해하기 위해 추가적으로 확인해야 할 사항 1가지를 확인 방법과 함께 제시(3점)

> A 교사 : 진로지도의 핵심은 학습자의 개별 특수성에 맞게 직업을 연결해주는 것에 있습니다. 이를 위해 파슨스(F. Parsons)의 이론을 기본적으로 활용할 예정입니다. 다만, 학습자의 개별 특수성에 영향을 미치는 다양한 요인이 있을 수 있으므로 로우(A. Roe)의 이론을 추가로 반영할 예정입니다.

208 생활지도 · 진로지도 이론

홀랜드(J. Holland)의 RIASEC에 따른 진로지도의 의의 1가지, RIASEC 유형 중 A 학생의 성격이 해당되는 유형의 명칭과 혜영이에게 적합한 직업 1가지(3점)

> A 학생은 사람들과 어울리기를 좋아하며 친절하고 이해심이 많다. 타인의 문제를 듣고 이해하고 도와주는 활동에는 흥미를 보이지만, 기계·도구·물질 또는 명쾌하고 질서정연한 활동에는 흥미가 없다.

209 생활지도 · 진로지도 이론

수퍼(D. Super)의 진로발달단계 중 제시문이 언급한 시기에 적합한 진로지도 활동 2가지, 생애진로 무지개(Life Cycle Rainbow)를 활용한 진로지도의 효과 2가지 (4점)

> 수퍼(D. Super)는 진로를 일생에 걸쳐 발달해 나가는 과정이라고 보면서 전 생애를 크게 5가지 단계로 구분하였다. 그중 2번째 단계인 탐색기 단계(15~24세)를 다시 세분화하였는데, 특히 청소년(15~17세)에 해당하는 시기를 '잠정기(tentative)'라고 제시하였다. 이 시기는 학생이 자신의 흥미, 능력, 가치, 태도 등을 바탕으로 진로에 대한 초기 구상을 시작하는 시기에 해당한다. 한편, 그는 생애 전체에 걸쳐 진로가 발달하는 과정을 시각화한 '생애진로 무지개(Life Cycle Rainbow)'를 강조하였는데, 이는 개인이 삶에서 수행하는 주요 역할 9가지를 제시하면서 진로가 직업적인 역할에만 국한되지 않음을 보여준다.

210 생활지도 · 진로지도 이론

크럼볼츠(J. Krumboltz)가 제시한 계획된 우연 기술을 가진 사람의 특징 2가지, 계획된 우연 기술을 함양할 수 있는 진로지도 활동 2가지 (4점)

> 미첼과 크럼볼츠(Mitchell & Krumboltz, 1996)는 삶에서 나타나는 다양한 우연적 사건이 사람의 커리어에 큰 영향을 미친다고 주장하였다. 그리고 스스로의 노력에 따라 우연적 사건을 긍정적으로 작용시킨 경우를 '계획된 우연(Planned Happenstance)'이라 정의하였다.

211 생활지도 · 진로지도 이론

블라우(P. Blau)가 언급한 진로 결정에 영향을 주는 사회적 요인 3가지를 요인별 고려 방법과 함께 제시(3점)

> 블라우(P. Blau)는 진로 선택이 단순히 개인의 능력이나 흥미에 의해 결정되는 것이 아니라, 사회적 구조에 영향을 받는다고 보았다. 따라서 진로지도 시에는 단순한 정보 제공을 넘어서, 학생이 처한 사회·경제적 배경과 구조적 제약을 함께 고려해야 하며, 학생의 선택 폭을 넓히는 교육적 접근이 필요하다.

212 생활지도의 실제

A 교사가 언급한 훈육방법 적용 시 유의점 2가지, B 교사가 언급한 훈계의 목적 1가지와 구체적 훈계 방법 1가지(4점)

> A 교사 : '교원의 학생생활지도에 관한 고시' 덕분에 법적 근거하에 생활지도를 안정적으로 수행할 수 있게 되었어요. 저는 그중에서도 훈육으로서의 분리 제도를 자주 운영하고 있어요.
>
> B 교사 : 맞아요. 그런데 분리 제도는 자칫 부정적 효과도 초래할 수 있으니 몇 가지 유의사항을 꼭 챙겨봐 주세요. 그리고 간혹 훈육으로는 불충분할 때가 있으니 고시에 나온 훈계도 활용해 보세요.

Chapter 02 정신건강과 학생상담 213~220

| 모범답안 해설 p.130 |

213 정신건강

시험 시 발생하는 불안의 순기능과 역기능 각 1가지, 다음의 상황에서 발생한 불안을 최소화하기 위한 교사의 실행방안 2가지(4점)

> 사회과를 담당하는 A 교사는 특정 주제에 대해 자신의 생각을 정리한 후 학생들 앞에서 발표하는 과제를 자주 부여하고, 발표 결과를 수치화하여 학생들의 최종 성적에 반영한다. 대다수의 학생들은 A 교사의 사회시간만 되면 긴장한 기색이 역력하고 심한 경우 A 교사의 수업 날 무단 결석하기도 한다.

214 정신건강

시험을 망쳐서 스트레스가 발생한 경우 학생들이 사용할 수 있는 방어기제 3개를 구체적 예시와 함께 제시(3점)

> A 교사 : 학교에서 만족스러운 시험 결과를 얻지 못한 학생들은 각자 자신만의 방법으로 스트레스에 대처하곤 합니다. 그 방법들은 학생들의 스트레스를 일시적으로 덜어 주기도 하지만 근본적인 해결이 되지 않는 경우도 많이 볼 수 있죠. 시험 실패를 긍정적으로 이겨낼 수 있는 방법을 가르쳐 주고 싶네요.

215 상담의 기본적 이해

제시문을 참고하여 성공적인 상담을 위한 기본 조건과 이를 갖추기 위한 교사의 태도를 각 1가지, 제시문에 밑줄 친 이 원칙을 적용하지 않을 수 있는 특별한 사유 2가지(4점)

> A 교사: 상담의 성공을 좌우하는 가장 큰 요인은 진실성입니다. 학생이 거짓 없이 모든 것을 자유롭게 이야기해야 성공적인 상담이 될 수 있습니다. 그러기 위해서 교사와 학생은 서로 마음의 문을 열어야 합니다. 하지만 학생은 수치심과 두려움에 자신의 이야기를 하지 못하는 경우가 있습니다. 자칫 상담 내용이 다른 사람에게 알려질까 걱정하는 것이죠. 따라서 우리는 특별한 사유가 아니면 <u>이 원칙</u>을 반드시 준수해야 합니다.

216 학생상담이론

A 학생의 문제를 해결하기 위해 각 교사가 활용할 수 있는 구체적 상담기법을 교사별로 1가지 (3점)

> B 교사: 3반의 A 학생이 오늘도 학생들 앞에서 하는 발표 때문에 힘들어 하더라고요. A의 무의식 속에 발표에 대한 거부감이 있는 것 같아요. 우선 상담을 통해서 그것을 확인하고 이야기하는 것이 필요하다고 보입니다.
> C 교사: '학생들 앞에서 발표'라는 목표행동을 분명하게 하고 그 목표에 이르기까지 여러 행동을 단계적으로 분화시킨 후에 강화를 한다면 A의 발표 공포증을 없앨 수 있을 것 같아요.
> D 교사: A 스스로 문제를 해결하도록 도와주는 것이 가장 중요해요. 왜 발표 공포증이 생겼고, 어떻게 해결할 수 있을지 찾아보게 하는 것이죠.

217 학생상담이론

아들러(A. Adler)가 언급한 열등감의 순기능과 역기능 각 1가지, 학생의 열등감을 긍정적으로 승화시키기 위한 교사의 학생지도 방안 2가지(4점)

> A 교사 : 타인과의 비교 속에서 살아가는 요즘 학생들은 어찌 보면 열등감이라는 것을 필연적으로 가질 수밖에 없는 것 같아요. 이 열등감을 마냥 부정할 것이 아니라 긍정적으로 승화시키는 것도 바람직한 학생의 성장을 위해서 필요하다고 생각합니다.

218 학생상담이론

엘리스(A. Ellis)의 합리적 정서적 행동치료(REBT) 이론에 근거할 때 A 학생이 비합리적 신념을 갖게 된 심리적 이유 1가지, C 교사가 언급한 논박의 기법을 적용한 구체적 예시 3가지(4점)

> B 교사 : 의사가 되기를 희망하는 학생 A는 이번 시험 수학·과학 과목에서 1개씩 틀렸는데 이제 의대에 갈 수 없다는 생각에 며칠째 학교도 나가지 않고 있어요.
> C 교사 : 저도 그런 학생을 지도한 경험이 있어요. 그런 생각을 깨뜨릴 수 있는 논박의 기법을 적용하는 것을 추천합니다.

219 학생상담이론

로저스(C. Rogers)가 제시한 충분히 기능하는 인간의 특징 2가지, 학생을 충분히 기능하는 인간으로 성장시키기 위한 교수·학습 활동 2가지(4점)

> 로저스(C. Rogers)는 상담을 통해 모든 학생을 충분히 기능하는 인간(fully functioning person)으로 성장시킬 수 있다고 믿었다. 이는 윌리암슨(E. Williamson)이 말했던 지시와 통제 중심의 상담과는 확연히 다른 입장이었다.

220 상담의 실제

학부모 상담을 비대면으로 진행하는 경우 장점과 단점 각 1가지, B 교사가 언급한 상황에서 학부모 상담 시 유의점 2가지(4점)

> A 교사 : 코로나19 이후로 비대면 상담이 그 이전보다 자주 이뤄지고 있는 것 같아요. 3월에 학부모 상담 신청을 받았는데 비대면 요청이 절반을 넘더라고요.
> B 교사 : 그래도 저는 대면 상담이 좋을 때가 있더라고요. 예를 들어 문제를 일으킨 학생의 학부모와 상담하는 상황에서는 대면 상담이 더욱 효과적이라고 생각해요.

문제 일람표

영역 구분		문제 번호
총론	의의	221
	발달사	222~224
동기이론	내용이론	225~226
	과정이론	227~230
지도성이론	관점 변화	231~234
	최근의 지도성이론	235~238
조직이론	조직 유형	239~247
	조직문화 및 풍토	248~251
	조직관리	252~254
의사소통이론	이해	255
	모형	256~257
실제	교육기획	258
	교육정책 결정	259~261
	국가와 지역 협력	262
	전문성 향상	263~267
	인사행정	268
	교육재정	269~270
	교육법	271
학교 및 학급경영	학교경영	272~275
	학급경영	276~277

최원휘 SELF 교육학
미라클모닝 300제

VII

교육행정학

Chapter 01 교육행정의 기본적 이해 : 교육행정 총론 221~224

| 모범답안 해설 p.136 |

221 교육행정의 의의

아래 그림과 같은 상황에서 적합한 학교행정의 운영 방향 3가지를 서로 다른 교육행정 원리와 함께 제시(3점)

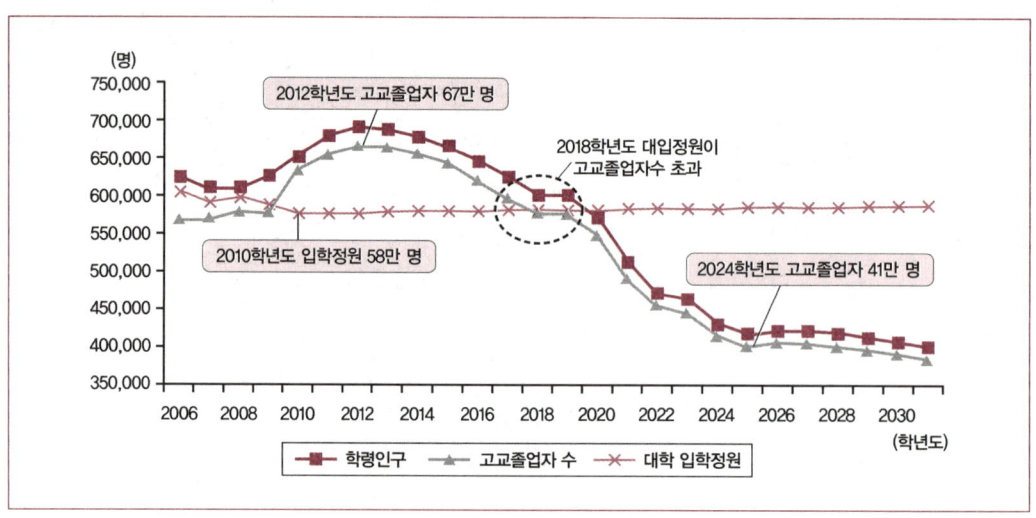

222 교육행정의 발달사

고전적 행정이론에 근거할 때 교사가 선호하는 업무처리 방식과 직무동기 유발방법을 교사별로 각 1가지(4점)

> A 교사 : 업무를 신속하고 정확하게 처리하기 위해서는 조직 운영에 있어서 단 하나의 최선의 방법을 개발·적용하는 것이 중요하다고 생각해요.
>
> B 교사 : 학교의 특성을 고려했을 때 그게 가능할지 의문이네요. 학교 업무도 결국 사람이 하는 일인데 사람의 감정을 고려하고 사람들 간 상호작용을 중시하면서 조직을 운영하는 것이 더 바람직하다고 생각합니다.

223. 교육행정의 발달사

학교조직을 관료제라고 볼 수 있는 이유 2가지, 문제상황이 발생했을 때 학교의 관료제적 특성이 갖는 장·단점 각 1가지(4점)

> 교육이라는 측면에서 보면 학교는 전문적 조직이지만, 업무 처리라는 측면에서 보면 학교 또한 관료제적 행정조직이라고 할 수 있습니다. 학교폭력, 학교 안전사고 등이 발생했을 때 학교는 관료제적 특성을 발휘하면서 문제를 해결하고자 합니다.

224. 교육행정의 발달사

행정에 관한 체제론적 접근에 근거할 때 학교 분석 시 고려해야 하는 과정 요인 3가지를 요인별 구체적 예시와 함께 제시(3점)

> A 전문가 : 학교는 학교가 가진 인적·물적 자원의 투입에 대해 성적이나 만족도와 같은 결과가 나오는 조직입니다. 이러한 투입과 결과를 종합적으로 이해하기 위해서는 투입과 결과 사이에 있는 과정을 살펴봐야 합니다.

Chapter 02 교육행정의 구체적 이해 ① : 동기이론

225 동기의 내용이론

매슬로우(A.H. Maslow)의 욕구위계론에 따를 때 A 학교 교사들이 결핍되어 있을 것으로 예상되는 욕구 2가지, 교사들의 욕구 충족을 위한 학교 차원의 지원방안 2가지(4점)

> A 학교는 섬 지역에 위치한 소규모 학교로, 전 교직원이 8명에 불과하고, 대부분 5년차 이하의 젊은 교사들이며 모두 타 지역에 연고를 두고 있다. 도시나 인근 학교로 이동하려면 하루 2번 밖에 운영하지 않는 배를 이용해야 해 외부와의 교류가 활발하지 않고 교육활동 외에 다양한 활동 또한 제약되어 있다. 대부분의 교사들은 현재 타 지역 전출을 희망하거나 심한 경우 퇴직까지 생각하고 있는 상황이다.

226 동기의 내용이론

허즈버그(F.I. Herzberg)의 동기이론에 따를 때 교장의 관리 방식이 동기를 유발하지 못하는 이유 1가지, 교사의 직무 동기를 유발하기 위한 방안 2가지를 동료 교사와의 협력의 측면에서 제시(3점)

> A 교사 : 나는 가르치는 일 자체가 정말 보람차다고 생각해. 교직 생활을 하면서 좋은 수업을 위해 고민하는 시간들, 그리고 그 속에서 서로 간에 오가는 작은 칭찬들이 나를 힘내게 하는 원동력이야. 그런데 최근에 오신 교장 선생님은 선생님들의 성과를 수량화해서 그 결과를 바탕으로 성과급을 주시려고 하더라고… 오히려 그런 것들이 나를 힘들게 하는 것 같아.

227 동기의 과정이론

동기에 관한 브룸(V.H. Vroom)의 기대이론에 근거할 때 성과급 제도가 A 교사에게 동기를 부여하지 못하는 이유 2가지, 이를 해결하기 위한 학교 차원의 지원방안 2가지(4점)

> A 교사 : 얼마 전에 성과평가 결과를 확인했어요. 애초에 성과급 자체도 적어서 만족스럽지 않기도 하지만 제 성과에 대해서 제대로 평가가 안 된 것 같아서 더 서운해요. 부장님께 여쭤보니 "성과평가가 승진을 앞두신 선생님들 중심으로 이뤄지기 때문에 어쩔 수 없다. 저연차 때는 원래 다 그런거다"라고만 말씀하시니까 일할 마음이 더욱 생기지 않네요.

228 동기의 과정이론

포터와 롤러(W. Porter & W. Lawler)의 성과만족이론에 근거할 때 A 학교 교사들이 소극적으로 반응한 이유 2가지, 교사들의 적극적 반응을 촉진하기 위한 보상 방안 2가지(4점)

> A 학교는 수업 혁신을 추진하며 교사들에게 자율연구과제 수행 시 인센티브를 제공하겠다고 하였다. 그러나 실제 운영 결과 일부 교사들은 "시간이 많이 들고, 수업 연구에 집중해도 보상이 체감되지 않는다."며 소극적으로 반응하였다. 이에 따라 학교는 교사 참여 유인을 높이기 위해 보상체계를 수정하고자 한다.

229 동기의 과정이론

애덤스(J. Adams)의 공정성 이론에 근거할 때, 학교에서 교사가 공정성 여부를 판단하는 기준 1가지, A 교사가 공정성을 확보하기 위해 실시할 수 있는 전략 3가지를 구체적 예시와 함께 제시(4점)

> A 교사 : 한 해 동안 학교폭력 사안처리 업무를 맡았는데, 제가 교사인지 부모인지 경찰인지 모르겠더라고요. 밤만 되면 언제 경찰서에서 연락이 올지 두렵기도 하고, 또 하필 우리 학교가 학교폭력 예방 연구학교로 선정되어서 관련 자료를 만드느라고 밤을 새운 적도 많네요. 방학 동안에도 거의 매일 출근했고요. 동기인 B 선생님은 환경 봉사 기획 업무를 맡아서 매번 정시 퇴근을 하세요. 그래도 받는 월급은 똑같잖아요. 너무 불공평하다는 생각에 일할 마음이 들지 않아요.

230 동기의 과정이론

로크(E. Locke)의 목표 설정 이론에 근거할 때 직무 동기를 유발하는 좋은 목표의 특징 2가지, 교사의 개별 목표 설정 시 고려사항 2가지(4점)

> A 교장 : 올해 우리 학교에서는 교사별 개별 목표를 설정하고 목표 달성도에 따라 우수 교사를 표창할 예정입니다. 개별 목표는 교과협의회나 교내 수석·부장 선생님과의 협력을 통해 수립해 주세요.

Chapter 03 교육행정의 구체적 이해 ② : 지도성이론 231~238

| 모범답안 해설 p.141 |

231 지도성의 관점 변화

리핏과 화이트(R. Lippit & R. White)의 지도성 연구에 근거할 때, 아래 지문 속 신규 교사에 해당하는 지도자 행동 유형의 명칭, 학급 문제해결을 위한 교사의 지도자 행동 유형의 명칭과 그의 구체적인 행동 양태 2가지(4점)

> A 교사 : 이번에 신규 교사가 우리 학교에 새로 왔는데, 모든 의사결정을 학생들에게 맡겨 놓고 자신은 바라보기만 하더라고요. 요즘 학생 자율성이 강조되고 있긴 하지만 너무 학생들을 방치하는 것만 같아 걱정되네요. 학급의 문제를 학생 주도적으로, 그리고 효과적으로 해결하기 위해서는 교사의 적절한 역할이 어느 정도 필요하다고 생각해요.

232 지도성의 관점 변화

블레이크와 머튼(R. Blake & J. Mouton)의 관리망이론에 근거할 때, B 교감의 지도성 유형의 명칭과 해당 유형이 조직에 미치는 악영향 1가지, 바람직한 지도자의 조직 관리 방식 2가지(4점)

> A 교사 : 새로 부임한 B 교감 선생님은 교장 선생님의 지시만 전달하기 급급하고 매사 의욕이 없어 보여요. 이번에 교감실이 새로 생겼는데, 매번 문을 걸어 잠그고 안에서 무엇을 하시는지 모르겠어요. 아마 밖에서 저를 만나면 제가 교사인 것도 모르실 거예요.

233 지도성의 관점 변화

지도성과 관련한 상황에 영향을 미치는 요인 3가지, 상황의 호의성 정도가 높은 경우 교장이 보여줄 수 있는 학교 운영 방식의 예시 1가지(4점)

> A 교장 : 교장으로 10년간 근무해보니 절대적으로 효과적인 지도성(Leadership)은 없다는 생각이 듭니다. 얼마 전 교장 연수에서 피들러(F. Fiedler)의 지도성이론을 접할 기회가 있었는데, 저의 생각과 유사한 것 같더라고요. 이 이론에서처럼 상황의 호의성 정도에 따라 효과적인 교장의 행동이 달라진다고 할 수 있습니다.

234 지도성의 관점 변화

허시와 블랜차드(P. Hersey & K. Blanchard)의 지도성이론에 근거할 때 A 교장이 소속된 학교 상황의 특징 2가지, 해당 학교에 적절한 지도성 유형의 명칭과 조직 관리 활동 예시 1가지(4점)

> A 교장 : 우리 학교는 새롭게 조성한 지역에 위치해 있다 보니 교직 경력 5년 미만의 교사가 절반이 넘어요. 교직 새내기들이다 보니 뭔가 하려고는 하는데 아직 노하우가 많이 부족한 것 같아요. 이런 상황에서 교장으로서 어떤 행동을 해야 할지 고민스럽네요.

235 최근의 지도성이론

다음에서 언급한 두 가지 지도성(leadership)의 차이점을 구성원의 동기유발 방식, 추구하는 행정가치 측면에서 각 1가지, 학교조직에서 거래적 지도성이 갖는 한계 2가지(4점)

> 지도성(leadership)에 대해서 전통적으로 거래적 지도성(transactional leadership)과 변혁적 지도성(transformational leadership)으로 구분하는 것이 대표적이다. 거래적 지도성은 리더와 구성원의 교환관계를 강조하는 반면, 변혁적 지도성은 호혜적 상호관계를 강조한다는 특징을 갖는다. 학교의 특수성을 고려할 때 교장이 거래적 지도성에 입각하여 학교를 관리하는 경우 여러 가지 한계가 있다.

236 최근의 지도성이론

A 교장이 언급한 지도성이 학교조직에 미치는 순기능 2가지, 이러한 지도성이 학교 현장에서 발현된 사례 2가지(4점)

> A 교장 : 교사는 교실을 이끄는 리더로서 학생을 잘 관리하기 위해 적절한 리더십을 가질 필요가 있습니다. 특히 변화하는 사회에 적극적으로 대응할 수 있도록 우리 학교 선생님들은 변혁적 지도성을 가졌으면 좋겠네요. 이를 위해 우리 학교에서도 아낌없는 지원을 해 나갈 것입니다.

237 최근의 지도성이론

A 교사가 강조한 지도성을 갖춘 교장의 학교조직 운영 방안 2가지, B 교사가 언급한 지도성에 따라 학교조직 운영 시 고려할 점 2가지(4점)

> A 교사 : 저는 교장이 구성원 개개인의 자율성과 자기통제를 이끌어내는 지도성을 발휘해야 한다고 생각해요. 모든 교사가 리더로 성장할 수 있도록 지원하는 게 핵심이죠.
> B 교사 : 저는 요즘 분산적 지도성에 관심이 많아요. 복잡한 학교 업무를 교장 혼자 감당하는 게 아니라, 권한을 적절히 분산하고 교사들이 자율적으로 문제를 해결하도록 운영하는 방식이요.

238 최근의 지도성이론

서지오반니(T.J. Sergiovanni)의 지도성 위계에 따를 때 A 교장과 B 교장이 보여주는 지도성 유형과 해당 유형에서 교장의 역할 각 1가지, 도덕적 지도성을 갖춘 교장의 조직 관리방식 2가지(4점)

> C 교사는 자신의 석사학위 논문에서 서지오반니(T.J. Sergiovanni)가 구분한 5가지 지도성 유형을 바탕으로 과거 자신과 근무한 A 교장과 B 교장의 지도성을 분석하고자 한다. A 교장은 학교행사를 자주 개최하고 그때마다 연단에서 학교의 비전과 목표 등을 설명하는 데 집중하였다. B 교장은 교사를 학교조직의 주인으로 만드는 데 관심을 가지면서 구성원과 학교의 비전과 목표를 공유하고자 노력하였다. 이러한 지도성 분석을 바탕으로 C 교사는 학교 조직에 어울리는 지도성으로 서지오반니가 제시한 도덕적 지도성을 강조하고자 한다.

Chapter 04 교육행정의 구체적 이해 ③ : 조직이론 239~254

| 모범답안 해설 p.145 |

239 조직 유형 및 학교조직

비공식조직의 '구성원 간 수평적 의사소통'이라는 특징이 갖는 순기능과 역기능 각 1가지, 학교 내 비공식조직 활성화를 위한 학교 차원의 지원방안 2가지(4점)

> A 교감 : 최근 우리 학교 내 선생님들 사이에서 비공식조직을 통한 의사소통이 늘어나고 있습니다. 특히 동일 학년 교사들끼리 공식 회의가 아니더라도 자주 만나 교육에 관한 이야기를 나누더군요. 이런 모습은 매우 긍정적이므로 학교 차원에서도 이러한 만남의 장을 확대하고자 합니다.

240 조직 유형 및 학교조직

학교행정에서 참모조직의 예시와 구체적 역할 각 1가지, 학교에서 참모조직을 구성·운영할 때 유의점 2가지(4점)

> 행정조직은 기본적으로 계선조직의 성격을 갖고 참모조직의 도움을 받는다. 이는 학교 또한 마찬가지이다. 단, 참모조직의 효과성을 높이기 위해서는, 그 구성과 운영 시 몇 가지 사항에 유의해야 할 것이다.

241 조직 유형 및 학교조직

A·B 교사가 언급한 기준에 근거할 때 일반 공립 중학교가 해당하는 조직 유형의 명칭을 기준별로 각 1가지, 중학교 배정과 관련하여 조직과 고객에게 선택권을 부여하지 않는 것의 타당성과 한계 각 1가지를 「헌법 제31조 제1항」에 근거하여 설명(4점)

> A 교사: 우리나라의 일반 공립 중학교가 어떤 조직인지 이해하기 위해서 우선 파슨스(T. Parsons)가 말한 기능을 기준으로 중학교를 살펴볼 필요가 있어요. 중학교가 수행하는 기능이 무엇인지 알면 손쉽게 구분할 수 있어요.
>
> B 교사: 저는 칼슨(R. Carlson)의 기준에 따라 일반 공립 중학교를 분류하고 싶네요. 우리나라 학생들은 학군에 따라 각 일반 공립 중학교에 자동으로 배정되는 점을 고려해야 합니다.

242 조직 유형 및 학교조직

학교조직을 다음에서 언급한 관료제 유형으로 분류할 수 있는 이유를 유형별로 각 2가지(4점)

> 학교조직은 공(公)행정조직으로서 공익 목적의 기능을 수행한다. 이는 외형상 일반 관료제와 큰 차이가 없어 보이지만, 학교조직의 실제 업무 수행 과정을 보면 일반 관료제와는 다른 특성을 갖고 있음을 알 수 있다. 즉, 학교조직은 그 업무의 특수성으로 인해 민츠버그(H. Mintzberg)의 전문적 관료제(Adhocracy), 립스키(M. Lipskey)의 일선 관료제(Street-level Bureaucracy)로 볼 수 있다.

243. 조직 유형 및 학교조직

지문에서 언급한 조직화된 무질서 조직의 특징 3가지를 학교조직의 사례와 함께 제시, 이러한 조직에서 나타나는 의사결정 방식 1가지 (4점)

> 학교는 체계적으로 조직되고 빈틈없이 운영될 것 같지만 현실적으로는 그렇지 않은 경우가 많다. 즉, 조직화된 것 같지만 실상은 질서가 없는 조직인 것이다. 코헨(D. Cohen) 등은 이를 '조직화된 무질서 조직'이라고 명명하였다. 체계적인 조직에서는 합리적으로, 때로는 점증적으로 의사결정이 이루어지지만 조직화된 무질서 조직에서는 그와는 조금 다른 방식으로 의사결정이 이루어진다.

244. 조직 유형 및 학교조직

이완조직으로서 학교조직의 특징 2가지, A 교장이 언급한 문제점을 극복하기 위한 학교 차원의 실천 방안 2가지 (4점)

> A 교장 : 학교는 와익(K. Weick)이 지적하였듯이 느슨하게 결합된(Loosely Coupled) 이완조직이라고 할 수 있습니다. 우리 학교 또한 이완조직으로서의 성격을 가지고 있는데, 부서 간 벽이 견고해 상호 간 이해도가 떨어지고 통제력이 약해 일관된 운영이 곤란하다는 문제점이 있어요.

245 조직 유형 및 학교조직

센지(P.M. Senge)가 제시한 학습조직의 원리를 적용한 학교조직의 모습 2가지, 학교가 학습조직으로 작동하는 경우 순기능 2가지(4점)

> 센지(P.M. Senge)에 따르면 학습조직은 구성원의 지식 욕구를 끊임없이 창출하고 창의적인 사고방식으로 전환시켜주며, 구성원의 집단적 열망이 충만하여 지속적으로 학습해 나가는 조직을 의미한다. 지식을 전달하고 학생을 성장시키는 학교조직이야말로 학습조직의 전형이라고 할 수 있다.

246 조직 유형 및 학교조직

전문적 학습공동체의 주요 활동 2가지, 전문적 학습공동체의 성공을 위한 조건 2가지(4점)

> A 교사: 요즘 순회를 다니는 학교를 보니까 너무 부럽더라고요. 특히 수석교사님의 주도하에 선생님들이 모여 좋은 수업을 위해 계속해서 고민하고 의견을 나누는 모습이 인상 깊었어요.

247 조직 유형 및 학교조직

다음에서 언급한 교사 학습공동체의 순기능을 학교조직 측면에서 2가지, 교사 학습공동체에 대한 구성원의 인식 개선을 위한 학교 차원의 지원방안 2가지(4점)

> 교육부는 교사가 이끄는 교실 혁명을 현장에 안착시키기 위해 교사 학습공동체의 활성화를 지원한다. 교사 학습공동체는 교사들이 자발적으로 조직한 것으로, 교수학습을 개선하기 위한 다양한 활동을 진행한다. …(중략)… 한편, 이러한 노력에도 불구하고 실제 교육 현장에서 교사 학습공동체에 대한 인식도는 낮은 것으로 드러났는데, 최근 전국의 교원 1500명을 대상으로 실시한 설문조사에 따르면 "교사 학습공동체가 무엇인지 알고 있다."라는 문항에 "그렇다."고 대답한 비율은 5점 만점에 3.11점, "교사 학습공동체가 효과적일 것이란 것에 긍정한다."는 문항에 대해서는 5점 만점에 2.87점에 그치는 것으로 나타났다.

248 조직문화 및 풍토

세씨아와 글리노우(N. Sethia & M. Glinow)의 문화 분류에 근거할 때 A 중학교의 조직문화 유형의 명칭과 이러한 유형의 문제점 1가지, 바람직한 학교문화로의 전환을 위한 학교 운영방안 2가지(4점)

> A 중학교는 모든 교사들이 서로에게 무관심하다. 일상적인 업무만이 반복되고 있고 일을 효율적으로 처리하는 것에는 누구도 관심이 없다. 학교 내 의사결정에는 기존 교장과 친했던 일부 교사들의 이해관계만 반영되었다. A 중학교에 새로 부임하게 된 교장은 일과 사람을 모두 존중하는 학교문화를 구축하기 위해 고심하고 있다.

249 조직문화 및 풍토

스타인호프와 오웬스(C. Steinhoff & R. Owens)가 학교문화 유형론에 근거할 때 A 고등학교의 학교문화의 명칭과 이때 교장의 역할 1가지, 하그리브스(D. Hargreaves)에 따를 때 효과적 학교문화를 가진 학교에서 교사와 교장의 행동 양태 각 1가지(4점)

> A 고등학교는 오랫동안 지역 명문학교로 인정받고 있다. 이 학교는 입시의 성공이라는 목표 달성을 위해 교사를 하나의 기계라고 인식하며, 매년 입시에서도 좋은 결과를 거두고 있다. 있다. 새로 부임한 교장은 이러한 문화가 교사를 지나치게 몰아세운다고 판단하여 효과적 학교문화를 조성하고자 고민하고 있다.

250 조직문화 및 풍토

핼핀과 크로프트(A. Halpin & D. Croft)의 학교풍토론에 근거할 때 A 교사가 소속된 학교 풍토의 명칭, 현재의 학교풍토를 개방적인 풍토로 전환하기 위한 구체적 방안 3가지(4점)

> A 교사: 우리 교장 선생님은 눈에 보이는 성과를 너무나 강조하십니다. 교감 선생님, 교무부장 선생님도 승진을 앞두셔서 그런지 성과 달성에만 치중하고 있어요. 교장 선생님은 지시만 하려 하고 교사들의 의견은 무시합니다. 일선 교사들은 매번 원치 않는 야근에 시달리는데, 누구도 저희들의 의견을 듣지 않아요. 저희도 모두 가정이 있고 개인적 사정도 있는데, 우리 학교는 그런 면을 하나도 고려하지 않고 오직 일만 강요합니다.

251 조직문화 및 풍토

윌로워(D. Willower) 등의 학교풍토 유형론에 따를 때 기존의 학교 풍토와 교육감이 추구하는 새로운 학교 풍토의 명칭, 새로운 학교풍토 조성을 위해 단위 학교에서 실시할 수 있는 민주적 통제방식 2가지(4점)

> 사회자 : 글로벌 시민성을 갖춘 미래 인재 육성을 위해서 학교풍토의 변화가 중요하다는 의견이 있는데, 어떻게 생각하시는지요?
>
> 교육감 : 학생에 대한 불신을 바탕으로 엄격한 규율을 통해 형성된 기존의 학교풍토에서는 개방성과 자율성을 전제로 한 글로벌 시민성을 함양하는 데 한계가 있습니다. 따라서 학교는 학생들에 대한 신뢰를 기반으로 학생들의 협력적 상호작용, 적극적인 의견 표출을 존중하는 민주적인 통제방식을 추구함으로써 글로벌 시민성 함양에 부합하는 새로운 학교풍토를 조성해야 합니다.

252 조직관리

A 교장이 제시한 학교 갈등 사례가 갖는 역기능과 순기능 각 1가지, 이러한 갈등과 관련한 관리 전략을 예방과 조성 측면에서 각 1가지(4점)

> A 교장 : 예전에는 갈등이 나쁜 것인 줄로만 알았는데, 요즘에는 조직 운영 차원에서 적절한 갈등이 필요한 때가 있습니다. 나쁜 갈등은 예방하고 좋은 갈등은 어느 정도 발생시키는 것도 중요합니다. 특히 개학 전 업무분장과 관련한 갈등은 역기능도 있지만 순기능도 있으므로 이를 긍정적으로 활용하는 것이 필요합니다.

253 조직관리

토마스-킬만의 갈등관리전략(Thomas – Kilmann Conflict Mode Instrument)에 근거할 때 A 유형의 관리자가 행할 수 있는 갈등관리전략의 명칭과 이러한 전략이 적절한 상황 1가지, B 학교가 겪고 있는 갈등을 해결하기 위한 해당 전략의 구체적 적용방안 2가지 (4점)

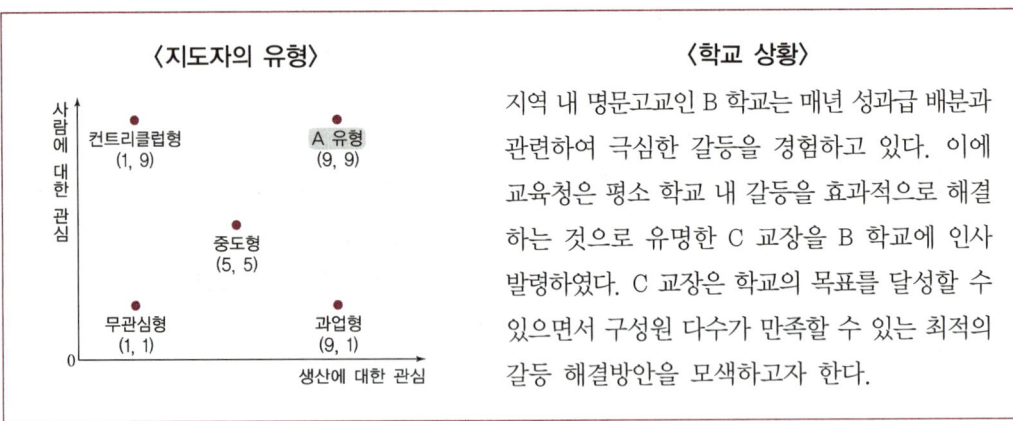

〈학교 상황〉

지역 내 명문고교인 B 학교는 매년 성과급 배분과 관련하여 극심한 갈등을 경험하고 있다. 이에 교육청은 평소 학교 내 갈등을 효과적으로 해결하는 것으로 유명한 C 교장을 B 학교에 인사 발령하였다. C 교장은 학교의 목표를 달성할 수 있으면서 구성원 다수가 만족할 수 있는 최적의 갈등 해결방안을 모색하고자 한다.

254 조직관리

교직원 간 의사소통에 영향을 미치는 요인 2가지, 통합 교육과정의 성공적 운영을 위한 학교 내 의사소통 활성화 방안 2가지 (4점)

A 교사: 2022 개정 교육과정에서 강조되는 교과 간 통합을 성공적으로 달성하기 위해서는 타 교과교사와의 협력적 의사소통이 필요합니다. 하지만 타 교과 선생님들과 교육 내용을 공유하는 일은 생각보다 극히 드뭅니다. 또한 선생님들마다 특성이 다르기 때문에 선뜻 통합 교육과정을 운영하자고 이야기하기도 어려운 것 같네요.

Chapter 05 교육행정의 구체적 이해 ④ : 의사소통이론 255~257

255 의사소통의 이해

조해리의 창(Johari's Window)에 근거할 때 A·B 교사의 의사소통 방식을 각각 설명하고, 효과적인 의사소통을 위한 조직문화와 지도성 유형 각 1가지 제시(4점)

> A 교사 : 저도 10년간의 교직경험을 통해 나름의 전문성을 쌓았는데, 다른 선생님들이 왜 이렇게 저의 업무방식에 대해 지적하는지 모르겠네요. 저는 선생님들의 지적을 수용하기 어렵습니다.
>
> B 교사 : 저는 선생님들과 업무 이야기를 하기가 조심스러워요. 제가 입직한 지 10년이 되었지만, 사실 여러 번 휴직하기도 해서 실 경력은 많지 않거든요. 업무에 대해 이야기하다 보면 저의 부족함이 드러날 것 같아서 모든 것이 조심스럽습니다.

256 의사결정의 모형

조직 내 의사결정 과정에 구성원을 참여시켰을 때 효용성 2가지, 브리지스(E. Bridges)의 참여적 의사결정 모형에 따를 때 2그룹의 수용 영역과 참여 수준 설명(4점)

> A 교장은 업무분장을 위한 규칙을 수립하고자 한다. 규칙을 수립하는 데 있어서 구성원들의 의견을 수렴하고자 하는데, 우선 교사들의 경력 등에 따라 집단을 구분하였다. 1그룹은 교직경력이 오래 되었고 내년에도 학교에 남아 있을 교사집단, 2그룹은 교직경력이 오래 되었지만 내년에 학교를 떠나는 교사집단, 3그룹은 교직경력이 짧고 내년에 학교에 남아 있을 교사집단, 4그룹은 나머지 교사집단으로 구성하였다. A 교장은 우선 2그룹의 의견부터 듣고자 한다.

257 의사결정의 모형

호이와 타터(W.K. Hoy & C.J. Tarter)가 제시한 참여적 의사결정 모형에 따를 때 A 중학교가 직면한 의사결정 상황의 명칭, 이에 적합한 의사결정 구조와 교장의 역할 각 1가지(3점)

> A 중학교는 내년 통합 교육과정 연구학교에의 참여 여부를 결정하고자 한다. A 중학교는 지난 2년간 2022 개정 교육과정 연구학교로 선정되어 대다수의 교사가 연구학교 업무와 관련한 노하우를 지니고 있다. 연구학교로 선정될 경우 통합 교육과정은 모든 학급에 적용될 예정이다. 그런데 과거 A 중학교의 교사들은 연구학교 업무와 관련하여 심한 갈등을 겪었던 바 있고, 교장에 대해서도 신뢰가 높지 않은 상황이다. 교장은 연구학교 참여 여부와 관련한 의사결정 과정에 교사를 어느 정도 범위까지 참여시키고, 이때 자신은 무슨 역할을 수행해야 할지 고민 중에 있다.

Chapter 06 교육행정의 실제

258 교육기획

학교조직의 특성을 고려했을 때 교육기획 시 따라야 하는 원리 2가지, 학교에서 실시할 수 있는 교육기획의 구체적 방법 2가지(4점)

> A 교장 : 우리가 가진 시간과 자원은 무한하지 않기 때문에 목적 달성을 위해 시간과 자원을 효과적으로 배분하는 기획 과정이 필요합니다. 단, 학교조직은 관료제적 특성과 전문가적 특성을 모두 가지고 있으므로 교육기획 시 이러한 특성을 반영할 필요가 있습니다.

259 교육정책 결정

학교 의사결정 시 합리적 관점과 점증적 관점을 적용한 예시 각 1가지, 교육의 특수성을 고려했을 때 점증적 관점에 따른 의사결정의 효용성과 한계 각 1가지(4점)

> 의사결정의 양대 관점은 합리적 관점과 점증적 관점이라 할 수 있다. 교육과 관련한 의사결정 시 한정된 자원을 고려하면 합리적 관점에 따르는 것이 바람직하지만, 현실적으로는 점증적 관점에 따라 의사결정을 하는 경우가 대부분이다. 이러한 의사결정은 교육의 특수성을 고려할 때 효용성을 갖기도 하지만 동시에 한계도 있다고 할 수 있다.

260 교육정책 결정

A 장학사가 언급한 의사결정 모형이 나타나는 상황 2가지를 예시와 함께 제시, 이러한 모형에 따른 의사결정이 갖는 문제점 2가지(4점)

> A 장학사: 학교 현장과 교육청에서 모두 일해본 바, 우리의 의사결정은 합리적이지도 않고, 점증적이지도 않다고 할 수 있습니다. 의사결정은 우연하게 이루어집니다. 문제, 대안, 구성원, 의사결정의 기회가 어느 순간 모여서 의사결정이 이루어지는 것이죠.

261 교육정책 결정

킹던(J. Kingdon)의 정책흐름모형에 따를 때 3가지 흐름의 구체적 예시를 흐름별로 각 1가지, 정책의 창이 갖는 특징 1가지(4점)

> 기초학력 보장, 교권 침해와 관련한 최근의 정책은 각각 학부모와 교사들의 요구로부터 촉발되었다는 점에서 볼 때 교육정책 결정에 있어서 교육 3주체(학생-학부모-교사)의 중요성을 인식하는 것이 필요하다. 교육정책 결정에서 교육 3주체의 중요성을 인식한 대표적 이론으로는 킹던(J. Kingdon)의 정책흐름모형을 들 수 있다. 이 모형에 따르면 정책문제의 흐름, 정치의 흐름, 정책대안의 흐름이 교육 주체와 같은 정책활동가(policy entrepreneur)들의 요구를 통해 결합되어 정책의 창(policy window)이 열렸을 때 정책이 형성된다고 본다.

262 국가와 지역의 협력

학교행정에서 지역사회와 협력이 나타난 사례 2가지, 학교행정에 지역인사를 참여시키는 경우의 고려사항 2가지(4점)

> 최근 학교행정은 지역사회와의 연계를 통해 교육의 실천성과 현장성을 높이는 방향으로 운영되고 있다. 지역사회의 인적·물적 자원을 교육적으로 활용하여 교육의 질을 개선하고자 하기 위함이다. 그러나 학교행정에 지역인사를 참여시킬 때 몇 가지 사항을 고려하지 않으면 본래 목적을 달성할 수 없거나 부정적인 효과를 발생시키는 경우가 있다.

263 교원의 전문성 향상

A 교사가 언급한 장학의 두 가지 관점에 따른 장학의 사례를 관점별로 각 1가지, 과정으로서의 장학이 효과성을 발휘하기 위한 전제 조건 2가지(4점)

> A 교사: 장학은 크게 누가 하는가에 초점을 둔 역할로서의 장학과, 어떻게 하는가에 초점을 둔 과정으로서의 장학이라는 두 가지 관점으로 구분할 수 있습니다. 과거에는 역할로서의 장학이 강조되었지만, 교육환경의 변화로 최근에는 과정으로서의 장학이 더욱 강조되고 있습니다. 이러한 장학이 성공하기 위해서는 몇 가지 조건이 전제되어야 할 것입니다.

264 교원의 전문성 향상

A 교사가 강조한 장학 방식이 학교조직에 미치는 순기능 2가지, 수업과 학급경영 측면에서 활용할 수 있는 역량 진단 지표의 구체적 예시 각 1가지(4점)

> A 교사 : 변화하는 교육 환경에서 교사 자신의 역량을 높이는 것이 필요합니다. 이를 위해 외부 장학에 참여하는 것도 좋지만, 교사 스스로 수업과 학급경영 활동을 점검하고 개선하는 장학 방식을 강조하고 싶네요. 다만, 저연차 선생님들께서는 스스로 역량을 진단하는 것이 어색할 수 있으니 경력이 많은 선생님들께서 자기 역량 진단 지표 예시를 보여주시면 좋을 것 같아요.

265 교원의 전문성 향상

A 교사가 언급한 장학 방식을 학교 현장에서 실천한 사례 2가지, 해당 장학 방식을 활성화하기 위한 학교 차원의 지원방안 2가지(4점)

> A 교사 : 교육의 질은 교사의 질을 넘을 수 없다는 말처럼, 교육의 질 제고를 위해서 교사의 전문성 함양은 필수적이라 할 수 있어요. 이를 위해서 교사들이 상호 협력하여 교육 활동의 개선점을 논의하는 장학 방식이 확대되었으면 좋겠어요. 초기에는 시행에 어려움이 있을 수 있으니 교장 선생님께서 적극적인 관심을 가지고 지원해 주셨으면 좋겠네요.

266 교원의 전문성 향상

A 교사가 언급한 장학 방식에 참여할 때 경험할 수 있는 어려운 점 2가지, 이러한 어려움을 해결할 수 있는 학교 차원의 지원방안 2가지(4점)

> A 교사 : 에듀테크 활용 교육 등 새로운 형태의 교수법이 개발되고 있는 상황에서 좋은 수업을 위한 전문성 향상 방법에 관심이 많이 생기더라고요. 얼마 전에 옆 반 선생님께서 방과후에 자신의 모의수업 영상을 촬영해서 교육청 장학사님께 보낸 후 그것에 대해 피드백을 받더라고요. 그런 장학이라면 저도 꼭 참여하고 싶네요.

267 교원의 전문성 향상

전문가가 언급한 컨설팅 장학을 학교에서 실시하고자 할 때 고려사항 3가지를 서로 다른 이유와 함께 제시(3점)

> 전문가 : 교사의 전문성 함양이 강조되면서 다양한 장학 방식에 대한 관심도 증가하고 있습니다. 저는 오늘 여러분들께 컨설팅 장학이라는 방식을 소개해 드리고자 합니다. 컨설팅 장학은 교원이 저희와 같은 전문가에게 장학을 요청하면 일정 기간 관찰과 면담을 통해 수업과 학급 경영에 대한 전문적 지도와 조언을 제공해 주는 방식을 의미합니다.

268 인사행정

수석교사제가 교사들의 동기를 유발하는 이유 2가지를 서로 다른 동기이론을 통해 제시, 수석교사의 학교 내 활용방안 2가지(4점)

> 수석교사제는 15년 이상의 교육경력이 있는 교사 중에서 가르치는 일에 전문성을 가진 교사를 선발하는 제도로서 교육공무원 임용령에서는 수석교사에 대한 우대사항을 제시한다. 예를 들어 수석교사의 수업시간 수를 해당 학교별 교사 1인당 평균 수업시간 수의 2분의 1로 경감하고 예산의 범위 내에서 연구활동비를 지급하는 등이다.

269 교육재정

A 교사가 언급한 목적사업비가 갖는 문제점 2가지, A 교사가 제안한 단위 학교 자율예산제도의 실시 전 단위 학교의 책무성 확보를 위해 검토할 수 있는 항목 2가지(4점)

> A 교사: 책임교육의 실천은 결과적으로 예산 활용을 수반합니다. 그런데, 학교 회계를 살펴보면 교육청이 추진하는 특정 사업과 관련한 목적사업비가 많은 부분을 차지한다는 것을 알 수 있습니다. 현장에서는 목적사업비를 집행하기에 바쁘다 보니 학교 특성에 맞는 책임교육을 실천할 수 있을지 걱정입니다. 타 교육청에서는 교육청 목적사업에 대해 학교에서 민주적 의사결정 과정을 통해 운영사업과 예산계획을 자율적으로 편성하는 학교자율사업운영제를 실시한다는데, 우리 교육청에서도 단위 학교가 자율적으로 운영할 수 있는 예산제도가 확대되었으면 좋겠네요.

270 교육재정

대안적 예산제도로서 A, B 예산제도가 갖는 장점 각 1가지, 대안적 예산제도의 성공적 운영을 위한 학교 차원의 실행방안 2가지(4점)

> • A 예산제도 : 학생 수, 교원 수 등을 고려하여 단위학교에 총액을 배분하고 총액 내에서 단위학교가 자율적으로 예산을 편성하고 운영하도록 허용하는 제도
> • B 예산제도 : 이전의 예산 편성 이력은 고려하지 않고, 현재 사업의 우선순위에 따라서 예산을 편성하고 운영하는 제도

271 교육법

학교안전사고의 발생 예시 2가지, 학교안전사고의 예방·해결을 위해 학교에서 실시할 수 있는 조치 2가지(4점)

> 「학교안전사고 예방 및 보상에 관한 법률」에 의하면 '학교안전사고'란 교육활동 중에 발생한 사고로서 학생·교직원 또는 교육활동 참여자의 생명 또는 신체에 피해를 주는 모든 사고 및 학교급식 등 학교장의 관리·감독에 속하는 업무가 직접 원인이 되어 학생·교직원 또는 교육활동 참여자에게 발생하는 질병을 의미한다. 학교장은 학교안전사고 발생이 예상되는 경우 예방적 조치를, 학교안전사고가 발생한 경우에는 즉각적으로 후속 조치를 실시해야 한다.

Chapter 07 학교 및 학급경영 272 ~ 277

| 모범답안 해설 p.162 |

272 학교경영

부쉬(T. Bush)의 학교경영 모형에 따를 때 A · B 교장의 학교경영 방식에 따른 의사결정 형태와 지도성 행태를 교장별로 각 1가지(4점)

> A 교장 : 학교는 학생의 성장이라는 교육적 목적을 추구해야 하면서도, 최소한의 비용으로 최대의 효과를 달성해야 한다는 행정적 목적을 가지고 있습니다. 여러 복합적인 목적을 동시에 달성하기 위해서는 학교조직을 위계화시키고 교사들을 일사분란하게 움직이는 것이 필요합니다.
>
> B 교장 : 학교가 복합적인 목적을 가지고 있는 만큼 다양한 요소들을 고려해야 하는 것은 아닐까요? 학교는 민주성의 가치가 실현되어야 하는 장이므로 다른 방식으로 학교를 경영하는 것이 더 바람직하다고 보이네요.

273 학교경영

목표관리제에 따른 학교경영의 장점 2가지, 이때 학교장의 구체적 역할 2가지(4점)

> 전문가 : 여러분들께 학교경영방법에 대해 말씀드릴 수 있어 영광입니다. … (중략) … 경영의 시작은 조직의 목표를 분명하게 밝히는 것입니다. 다만, 학교는 사기업이 아닌 공행정 조직이므로 목표를 설정하는 데 있어서 구성원들의 참여와 합의가 필요합니다. 이런 측면에서 학교경영방법으로서 오늘은 목표관리제에 대해 말씀드릴까 합니다. 오늘 연수를 통해서 여러분이 자신이 학교장이라면 어떤 역할을 수행할지 생각해보는 기회가 되었으면 하네요.

274 학교경영

머피와 벡(J. Murphy & L. Beck)의 단위학교 책임경영제(SBM) 통제모델에 근거할 때, 다음에서 언급한 두 가지 모델의 실행방안과 실행 시 유의점을 모델별로 각 1가지(4점)

> A 교육청의 지침에 따라 단위학교 책임경영제(School Based Management)가 확대 적용되고 있는데, B 학교와 C 학교는 다소 다른 형태로 해당 제도를 실천하고 있다. B 학교의 경우 전문적 통제모델을 적용하면서 학교경영에서 교사의 주도적인 역할을 강조하고 있는 반면, C 학교는 지역사회 통제모델을 적용하면서 지역사회와의 협력을 통한 학교경영을 강조하고 있다.

275 학교경영

학교운영위원회의 심의사항 2가지, 두 학부모의 의견을 고려했을 때 학교운영위원회가 제 기능을 수행하기 위한 구성·운영방안 2가지(4점)

> A 학부모: 얼마 전 학교운영위원회 학부모위원을 선발한다고 공지가 왔더라고요. 그런데 학교운영위원회가 정확히 뭐하는 곳인지 잘 모르겠어요. 3명의 학부모 중 투표를 하라고 하는데, 누군지도 모르는 사람을 어떻게 투표하라는지…
> B 학부모: 우리 옆집 사람이 지역위원이라고 하던데요? 그 분 말로는 학교에서 하는 것들을 심의하기는 하는데, 어차피 교장 선생님께서 하자는 대로 하면 되기 때문에 누가 뽑혀도 크게 상관은 없대요.

276 학급경영

학급경영 시 기초조사 단계에서 조사하는 사항 2가지, 민주적 학급경영 방안 2가지(4점)

> A 교사 : B 선생님께서 진행하신 학급경영에 관한 연수에서 학급경영의 시작은 내가 담당하는 학급을 정확하게 이해하는 것이라고 하더라고요. 이번 신학기 준비 기간 동안 기초조사를 통해 우리 학급의 특성을 잘 이해하고 학급경영 계획을 수립해야겠어요.

277 학급경영

학부모의 학교 참여가 필요한 이유 2가지, 학부모의 폭넓은 학교 참여를 유도하는 방법 2가지 (4점)

> A 교사 : 교장 선생님께서는 다양한 방법을 통해 학부모님들과 활발히 소통하라고 말씀하시는데, 우리 반은 소수의 학부모님만 학교에 관심이 있으신 경우가 많아요. 한 번은 학부모님들을 학교에 초청했는데 30명 중 5명만 오셔서 난감했던 기억이 나네요.

MEMO

문제 일람표

영역 구분		문제 번호
교육사회학 이론	기능론적 관점	278~279
	갈등론적 관점	280~281
	미시적 관점	282~285
교육과 평등	학력 상승	286
	교육 평등론	287~288
	기초학력 보장	289~290
교육과 경쟁	선발과 시험	291
	학업성취 격차	292~293
교육과 문화	비행이론	294~296
평생교육		297~298
다문화교육		299~300

# VIII 교육사회학

Chapter 02 교육사회학이론 278~285

278 기능론적 관점

사회에 대한 다음의 관점에 따를 때 학교의 기능 2가지와 교사의 역할 2가지(4점)

> A 교사 : 사회는 언제나 안정을 지향합니다. 인류가 문명화된 지 오랜 세월이 지났음에도 멸망하지 않는 것은 인류가 각자의 역할을 수행하면서 이 사회가 안정적으로 유지됐기 때문입니다. 학교는 사회를 안정적으로 만드는 데 필수적인 기능을 수행합니다. 그렇다면 교사 역시도 사회의 한 부분으로서의 역할을 수행해야 할 것입니다.

279 기능론적 관점

드리븐(M. Dreeben)의 규범교육이론에 근거할 때 학교에서 규범교육이 필요한 이유 1가지, 다음에서 언급한 규범을 습득하기 위한 학교 내 실행 방안을 규범별로 각 1가지(4점)

> A 교사 : 학교는 규범교육의 장이어야 합니다. 이러한 규범은 꼭 문서로 된 규칙만이 아니라, 상황에 따라 어떻게 행동해야 하는지에 대한 구체적 행동표준을 의미합니다. 예를 들어 독립성, 성취성, 보편성 규범 등의 행동표준이 있습니다.

280 갈등론적 관점

갈등론의 관점에서 학교의 역기능 2가지, 학교를 대체할 수 있는 교육 네트워크가 가져야 하는 특성 2가지(4점)

> 전문가 : 공식적 교육과정이 정말 형평성을 추구하고 사회 전체의 경쟁력을 키울 수 있을 것인지는 회의적입니다. 누구나 쉽게 지식에 접근할 수 있고, 새로운 혁신 전문가를 만나기 쉬운 미래교육 대전환 시대를 맞아 공교육을 대체하는 새로운 교육 네트워크를 구축해야 할 것입니다.

281 갈등론적 관점

부르디외(P. Bourdieu)가 언급한 문화자본의 유형 3가지를 각각의 예시와 함께 제시, 다음에서 언급한 상징적 폭력이 학교 내에서 발현된 사례 1가지(4점)

> 전문가 : 학교는 지배집단의 문화자본을 재창조하는 불평등의 재생산기구라고 할 수 있습니다. 과거의 학교가 체벌과 같은 물리적 통제방식을 통해 지배집단의 가치를 전수했다면, 지금의 학교는 상징적 폭력을 통해 지배집단의 문화를 은밀하게 전수합니다.

282 미시적 관점

하그리브스(D. Hargreaves)의 교사 유형론에 따를 때 학급 경영 방식을 유형별로 각 1가지 (3점)

> A 교사 : 학교 내에서 교사와 학생 간 상호작용 방식에 따라 교사를 유형화할 수 있어요. 하그리브스에 따르면 교사는 조련사형, 연예인형, 낭만가형으로 구분되는데 각 유형마다 다른 장점이 있으므로 학급 경영 시 적절한 유형을 적용해보는 것이 좋다고 생각해요.

283 미시적 관점

번스타인(B. Bernstein)의 교육자율이론에 근거할 때 학력 격차의 발생 원인 1가지, B 교사가 언급한 두 가지 교수법의 실행방안을 각 1가지 (3점)

> A 교사 : 학력 격차의 발생 원인을 학생의 자기 주도성, 선수학습 수준으로만 돌리기에는 무리가 있어요. 특히 번스타인을 비롯한 사회학자들은 학력 격차의 발생 원인을 교사와 학생의 상호작용 측면에서 찾기도 해요
>
> B 교사 : 동의합니다. 저는 교수법의 차이를 강조하고 싶은데요. 번스타인은 교수법을 가시적 교수법과 비가시적 교수법으로 구분하는데, 이러한 것들도 학업성취에 영향을 미친다고 봐요.

284 미시적 관점

A 교사가 언급한 방어적 교수법을 수업에서 사용하는 이유 1가지, 방어적 교수법의 사용 예시 3가지(4점)

> A 교사: 교육 현상에 대해 구조적인 접근으로 분석하는 것도 의미가 있지만, 그보다는 교사와 학생의 상호작용을 연구하는 것이 더 바람직한 관점이 아닐까 생각합니다. 맥닐(L. McNeil)의 방어적 교수법에 따라 우리 학교 선생님들의 수업전략을 분석해 보았더니 선생님들마다 다양한 방어적 교수전략을 사용하고 있으시더라고요.

285 미시적 관점

케디(N. Keddie)의 학생범주화 이론에 따를 때 학생범주화의 기준 2가지, 학생범주화가 학생 성장에 미치는 악영향 2가지(4점)

> 최근 학교 현장에서 학생들을 다양한 기준으로 분류하고 지도하는 사례가 늘고 있다. 교사들은 수업을 원활하게 운영하거나 학생의 특성을 파악하여 지원하기 위해 여러 기준을 설정한다. 그러나 학생들을 일정한 범주로 구분하는 과정에서 교사의 기대나 사회적 편견이 개입될 가능성도 존재한다. 이러한 범주화는 학생들에게 긍정적인 동기를 부여하기도 하지만, 때로는 학생에게 부정적인 영향을 미칠 수 있다. 따라서 학생을 바라보는 관점과 분류 기준에 대해 신중한 접근이 필요하다는 목소리가 커지고 있다.

Chapter 03 교육과 평등 286~290

286 학력 상승

사교육비의 상승 이유와 관련하여 보고서에 제시될 수 있는 이유 2가지, 사교육비 절감을 위한 정부 대책에 대한 긍정적·부정적 평가 각 1가지(4점)

〈연구보고서〉

2024년 우리나라 사교육비는 역대 최고 비용인 29.2조 원에 달했다. 이 보고서에는 사교육비 상승이라는 사회현상의 원인을 기술기능이론과 지위경쟁이론을 통해 분석하고자 한다. 또한, 정부의 사교육비 절감 대책 중 하나로 제시된 학교 예술교육 확대의 타당성 여부를 확인한다.

287 교육 평등론

콜맨리포트(Coleman Report)에서 언급한 학생 학업성취에 가장 큰 영향을 미치는 요소 1가지, 이러한 요소를 고려했을 때 교육 평등을 달성하기 위해 학교 현장에서 실시할 수 있는 교육적 조치 2가지(3점)

콜맨리포트는 단순히 기회를 동일하게 허용해주는 기회의 평등을 넘어 부족한 부분을 보충해주는 보상 교육을 강조한다. 이 연구는 에듀테크 활용교육, 개별 맞춤형 교육이 강조되는 현실에서도 큰 의미를 지닌다고 할 수 있다.

288 교육 평등론

교육평등의 관점 중 다음의 두 제도에 반영된 관점을 제도별로 각 1가지, 해당 제도 운영 시 유의점 각 1가지(4점)

- 제도 1 : 대학 신입생 선발 시 지역 간 불균형 현상을 바로잡기 위해 특정 지역의 학생에게 혜택을 주는 제도. 교과성적 우수자를 대상으로 모집정원의 20% 내외를 선발
- 제도 2 : 방과후학교를 수강하는 학생에게 1인당 연간 60만 원 내외를 지원하는 제도. 기초 생활수급자, 한부모가정, 법정 차상위 대상자가 1순위 지원 대상

289 기초학력 보장

기초학력 저하를 유발하는 요인을 학습자 측면에서 2가지, 기초학력 보장을 위한 구체적 지원 방안을 진단과 처방으로 나누어서 각 1가지(4점)

기초학력은 학교만의 노력이 아니라 전 사회적 역량이 집약될 때 보장될 수 있습니다. 교실 내에서 교사가 학생을 정확히 진단하려면 첫째, 교내 교사 간 협력을 통해 교사 전문성을 높여야 하고, 둘째, 학교 자체적으로 외부 전문가 활용 및 관련 기관과의 협력을 통해 전문적인 지원을 받아야 합니다. 이럴 때 비로소 기초학력 보장을 위한 다중 안전망을 구축할 수 있습니다.

290 기초학력 보장

「기초학력보장법」상 기초학력의 개념, 학습지원대상 학생 선정에 관해 대상 학생의 학부모에게 안내할 때 유의점 2가지(3점)

> A 교사 : 이번에 기초학력 관련 진단 테스트를 실시했는데, 우리 반의 B 학생이 학습지원 대상 학생으로 선정되었어요. B 학생의 부모님은 평소 교육에 관심이 많으셨는데, 이번 결과로 충격받지 않으실까 걱정되네요.

Chapter 04 교육과 경쟁 291~293

291 교육선발과 시험

시험이 가진 순기능과 역기능 각 1가지, 다음의 대화를 참고했을 때 학생부종합전형 제도를 기능론과 갈등론에 근거하여 평가(4점)

> A 교사 : 학생부종합전형이 과연 바람직한 걸까요?
> B 교사 : 정량적 교과 성적뿐만 아니라 학교생활기록부, 자기소개서 등을 바탕으로 학업능력, 학업에 대한 태도, 도전정신, 열정과 발전 가능성 등을 종합적으로 평가하니까 학생들의 잠재 가능성과 역량을 종합적으로 평가할 수 있는 것 아닐까요?
> A 교사 : 입시의 핵심은 공정성입니다. 그것이 사회에서 요구하는 가치이고요. 학생부종합전형이 과연 공정한지 여부를 판단해야 할 것 같아요.

292 학업성취 격차

A 교사가 언급한 이전과 다른 형태의 학습격차가 발생하는 원인 2가지, 평등에 관한 조건적 평등의 관점에서 학습격차를 완화하는 구체적인 방안 2가지(4점)

> A 교사 : 디지털 대전환 시대가 현실화되면서 학교에서 에듀테크를 활용한 교육이 활성화되고 있습니다. 에듀테크를 활용한 교육은 학생 맞춤형 교육을 실현한다는 점에서 학습격차를 줄여줄 것이라 기대했지만, 오히려 이전과 다른 형태의 학습격차가 유발되고 있습니다. 따라서 이러한 학습격차를 줄이는 것이 시대적 과제라고 할 수 있습니다.

293 학업성취 격차

학생들의 학업성취 수준에 영향을 주는 가정 내·외의 사회적 자본 2가지, 이를 고려했을 때 학업성취 격차를 최소화할 수 있는 학교 차원의 지원 방안 2가지(4점)

> 퍼트남(R. Putnam)은 사람들이 맺고 있는 신뢰, 규범, 네트워크를 사회적 자본이라고 정의하면서 가정이 가진 사회적 자본이 학생들의 학업성취에 영향을 미칠 수 있다고 본다. 따라서 학업성취 격차를 최소화하기 위해서는 학교환경, 또래환경 외에도 가정 내·외의 사회적 자본을 고려한 방안을 마련해야 한다.

Chapter 05 교육과 문화 294~296

| 모범답안 해설 p.177 |

294 비행이론

A 학생의 비행 원인을 '차별적 접촉이론'과 '낙인이론'에 근거하여 각각 설명, 청소년 비행을 최소화하기 위한 교사의 학급경영 전략을 이론별로 각 1가지(4점)

> A 학생은 예전까지 평범하게 학교생활을 했으나 새로 전학 온 B 학생을 만나면서 학생들을 괴롭히기 시작했다. 알고보니 B 학생은 이전 학교에서 학교폭력으로 인해 강제 전학을 온 학생이었다. 이후 학급에서 도난 사건이 발생했는데, 교사는 A 학생을 의심하였다. A 학생은 이에 불만을 갖고 다음날부터 학교를 나오지 않게 되었다.

295 비행이론

허쉬(T. Hirschi)의 사회통제이론에 근거할 때 학생의 일탈 행동을 방지하기 위한 구체적 실행 방안 3가지(3점)

> 학교에서는 학생들이 규범을 지키고 올바른 행동을 할 수 있도록 다양한 예방적 노력을 기울이고 있습니다. 학생들의 일탈 행동은 학교 공동체에 대한 긍정적 유대감이 형성되어 있을 때 예방할 수 있으므로 학교는 학생들이 교육활동에서 긍정적 유대감을 느낄 수 있도록 다양한 활동을 마련해야 할 것입니다.

296 비행이론

기존 학교폭력 예방교육의 문제점 1가지, A 교감이 학교에서 실행할 수 있는 실천중심의 학교폭력 예방교육 2가지(3점)

> A 교감 : 그간 우리 학교의 학교폭력 예방 교육을 돌이켜 보건대, 일회성의 강의식에 편중되었다는 느낌을 받았습니다. 지정된 날에 외부강사가 와서 학교폭력의 심각성을 설명해주고 대처방안을 알려주는 것이 큰 효과가 있었는지 의문이에요. 올해에는 학생들이 직접 실천해보는 방식으로 예방교육이 진행되었으면 하네요.

Chapter 06 평생교육 297~300

297 평생교육

평생교육의 사회적 필요성 2가지, 평생교육을 위한 학교의 변화 모습 1가지(3점)

> 평생교육에 대해 랑그랑(P. Lengrand)은 개인의 출생부터 사망에 이르는 수직적 차원과 사회 전체의 교육이라는 수평적 차원으로 분석하였다.

298 평생교육

평생교육의 원리 2가지, 들로어 보고서(Delor Report)를 비추어보았을 때 평생교육의 궁극적 목적 1가지(3점)

> 평생교육은 원하는 사람이라면 누구나 어디에서든 교육을 받을 수 있어야 함을 전제로 한다. 평생교육은 이러한 기본 특성을 반영하면서 발전해오고 있는데, 1990년대 들로어 보고서(Delor Report)에서는 평생교육의 실천 원리로서 교육의 4기둥을 제시하였다. 이 보고서에서는 알기 위한 학습, 행동하기 위한 학습, 더불어 살아가기 위한 학습을 제시하면서 세 가지 학습의 총체로서 존재하기 위한 학습을 제시하였다.

299 다문화교육

다문화교육과 관련한 기존의 접근 방법이 갖는 한계 2가지, 새로운 접근 방법에 따라 실행할 수 있는 구체적 교육활동 2가지(4점)

> A 교사 : 최근 국제결혼, 이주가정의 증가로 다양한 문화적 배경을 지닌 학생들이 많아지고 있습니다. 지역적에 따라서는 다문화가정의 학생이 학급 임원을 맡거나, 다문화가정의 학생이 비다문화가정의 학생보다 많은 경우도 심심찮게 볼 수 있습니다. 이런 상황에서 용광로 이론(theory of melting pot)에 근거한 기존의 접근 방법은 한계를 가질 수 있습니다. 국제화 시대에 샐러드 볼 이론(theory of salad bowl)에 근거한 새로운 접근 방법에 따라 다문화 교육을 실행하는 것이 타당하다고 할 수 있습니다.

300 다문화교육

다문화가정의 학생들이 경험할 수 있는 교육적 결손 2가지, 이를 해결하기 위한 학교 차원의 구체적 지원방안 2가지(4점)

> A 교사 : 다문화가정의 학생들을 지도하다 보면 비(非)다문화가정의 학생들보다 부족한 부분을 많이 발견할 수 있습니다. 언어발달 정도, 학생들의 편견 등이 복합적인 원인이 되어 학습자의 교육적 결손이 다방면에서 나타나게 됩니다. 따라서 학교는 그러한 결손을 최소화하기 위한 다양한 지원방안을 마련해야 할 것입니다.

부록

최원휘 SELF 교육학 마인드맵

Mind Map

I 교육철학 및 교육사

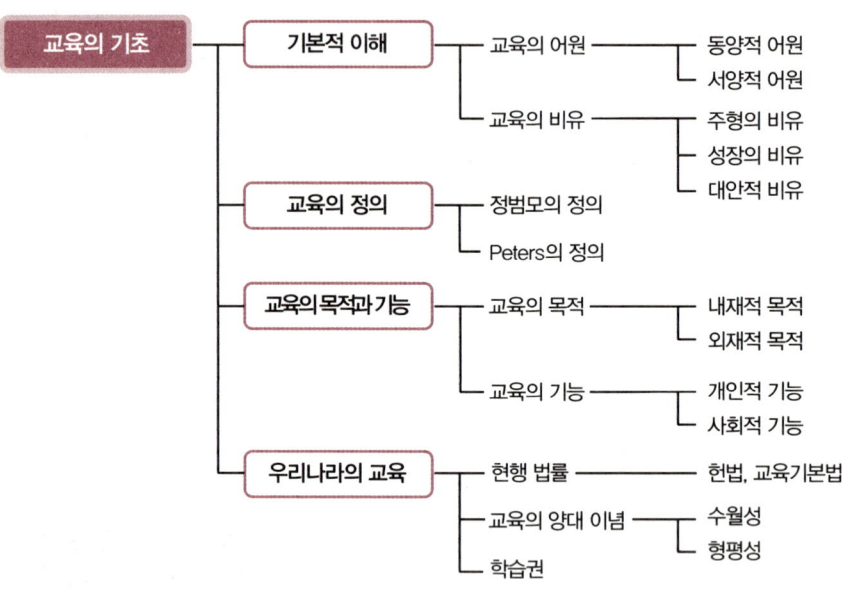

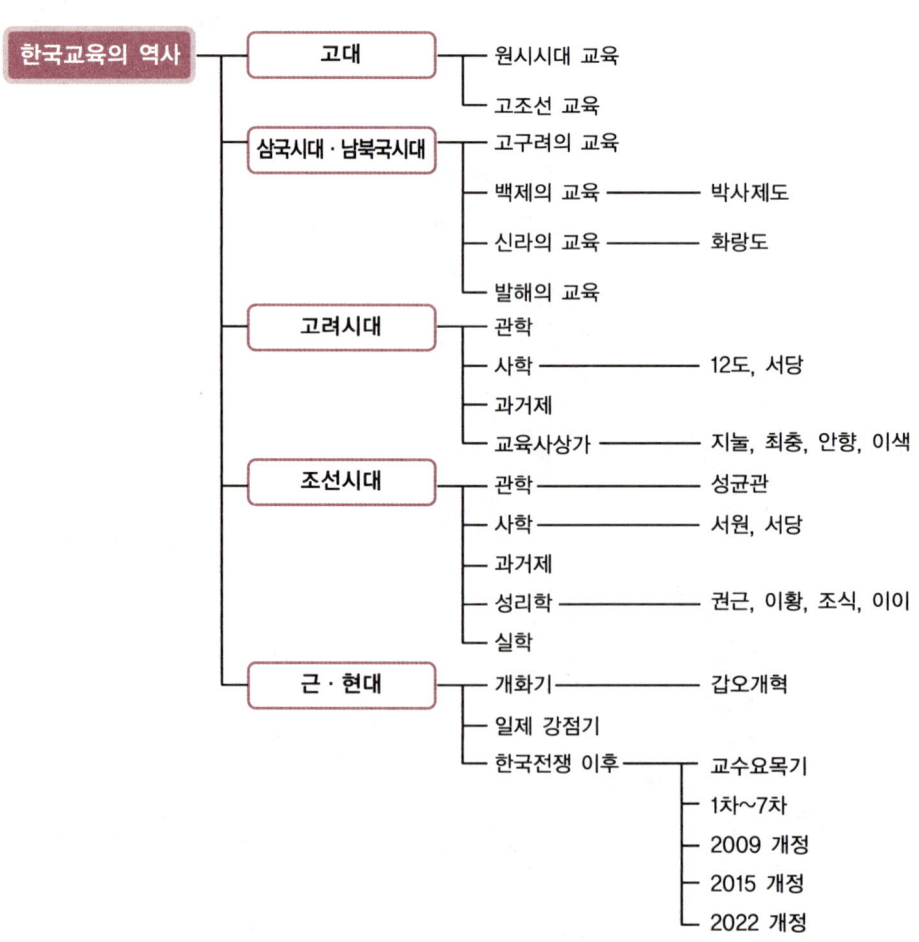

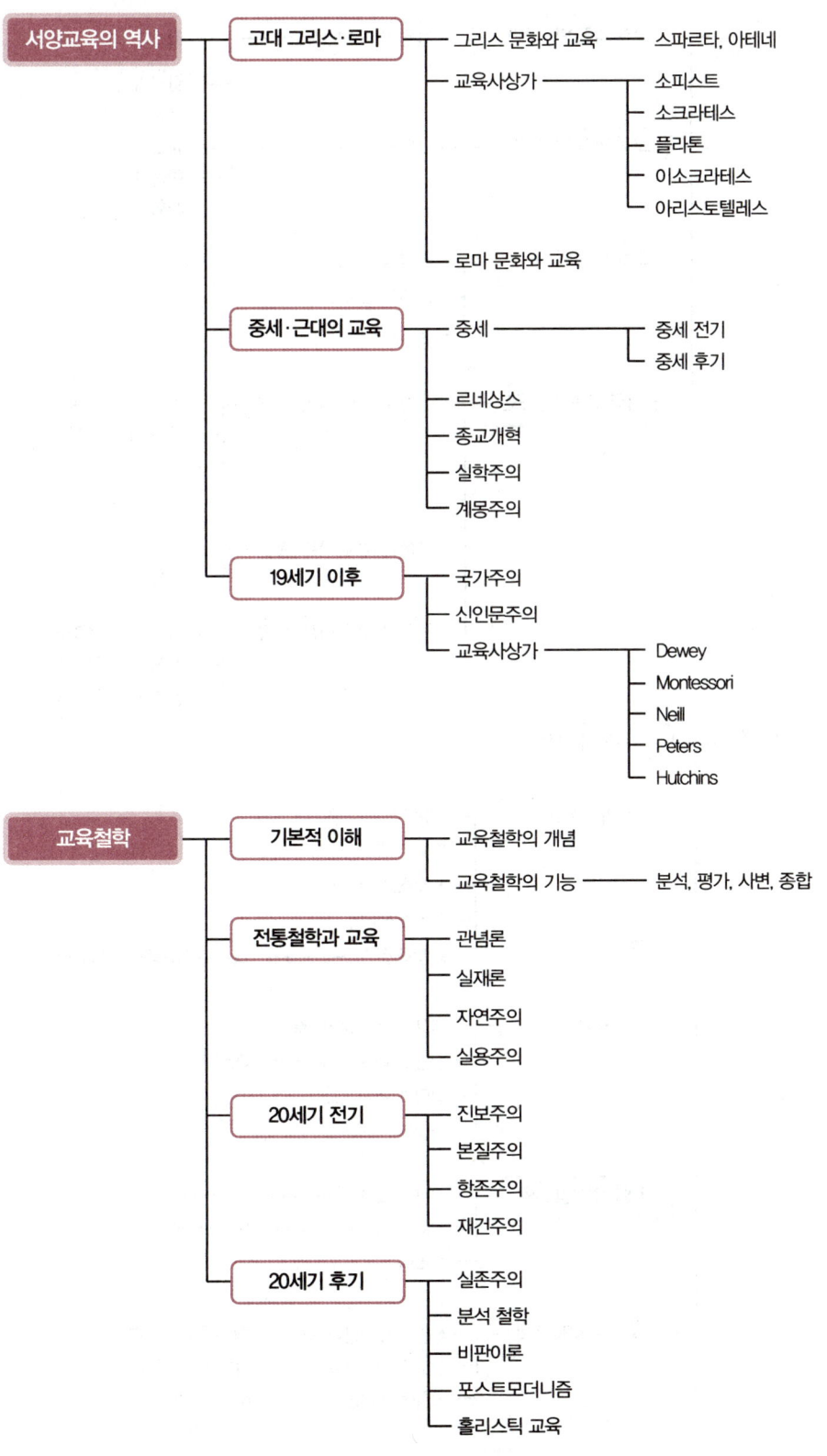

Mind Map

II 교육과정

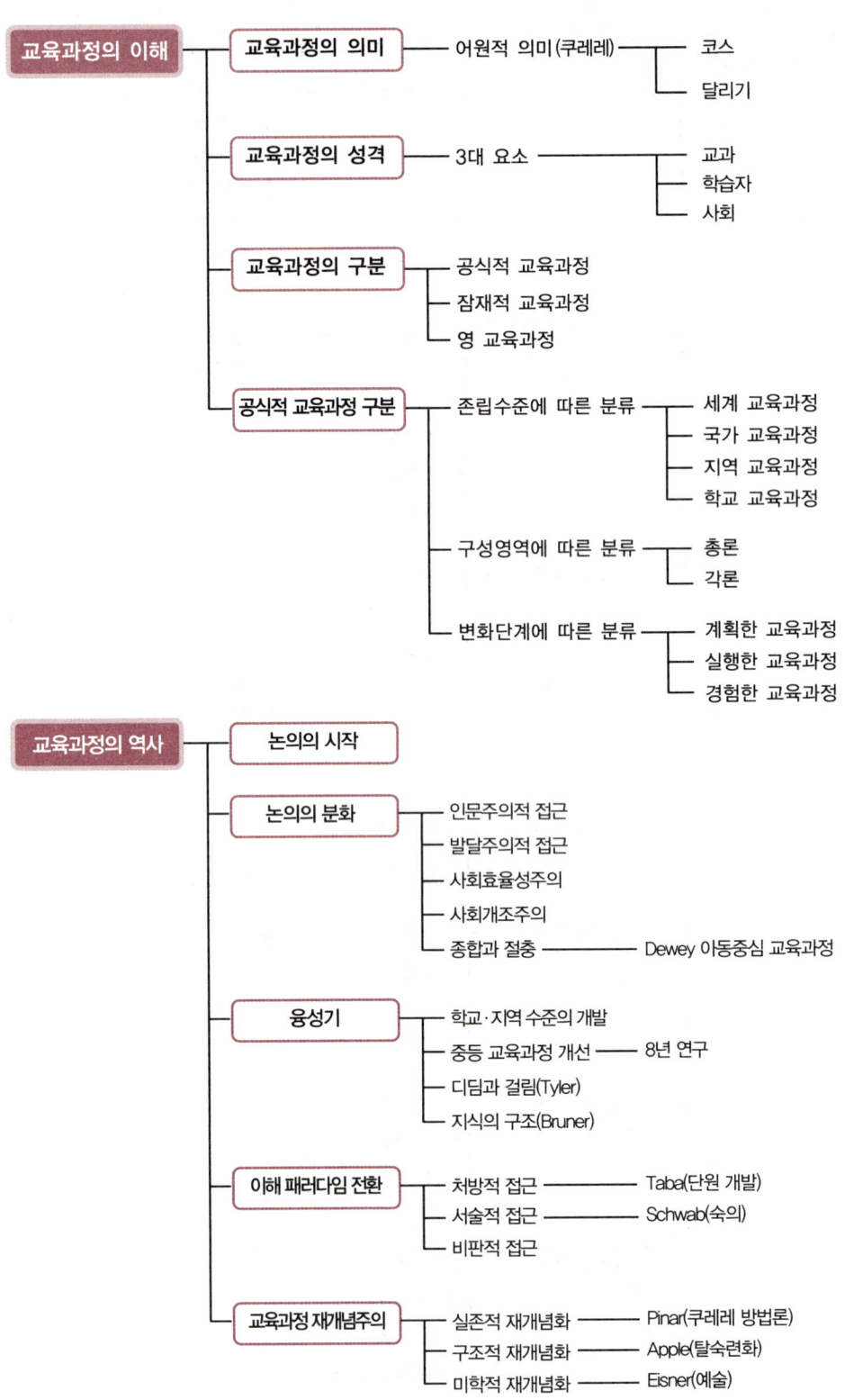

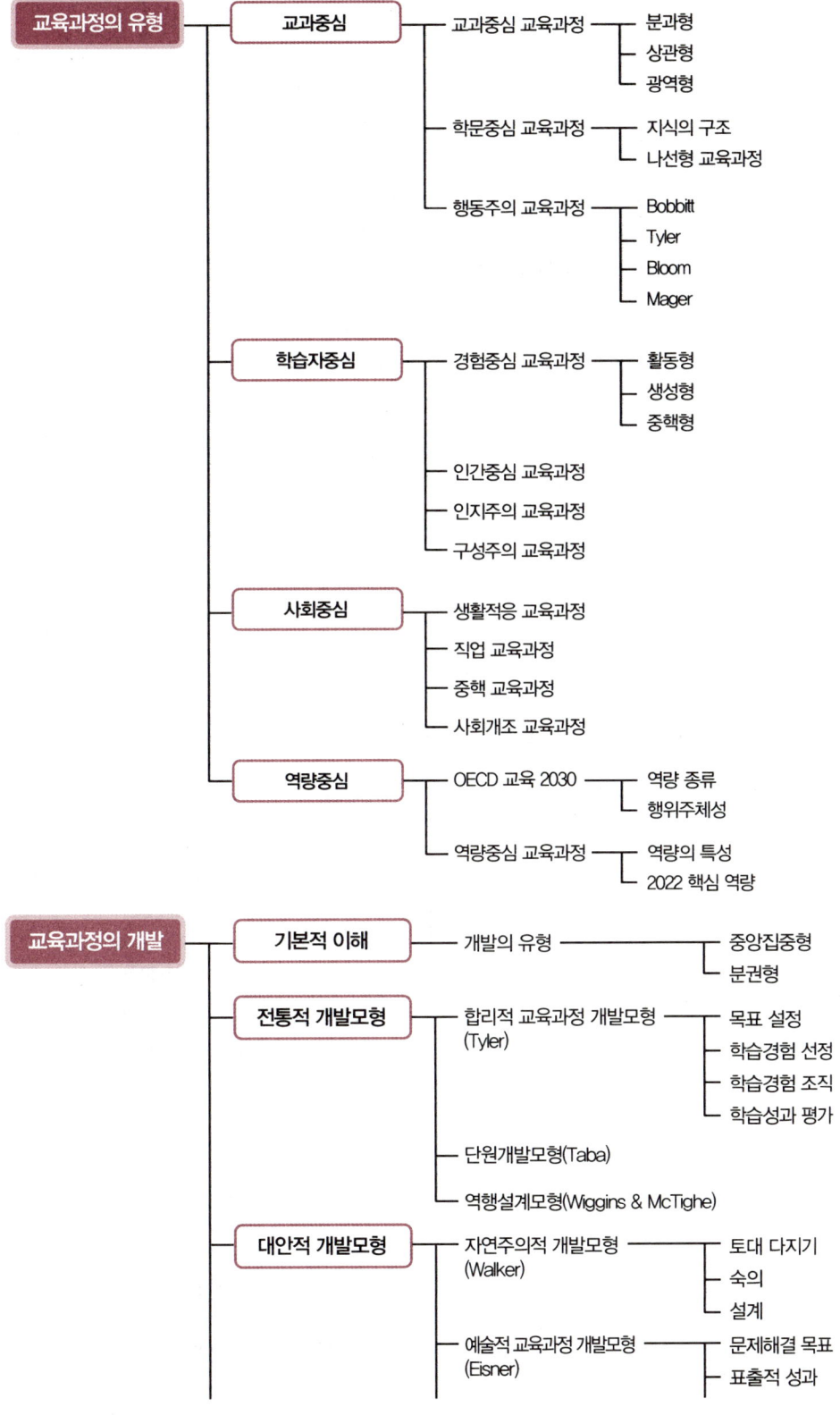

Mind Map

II 교육과정

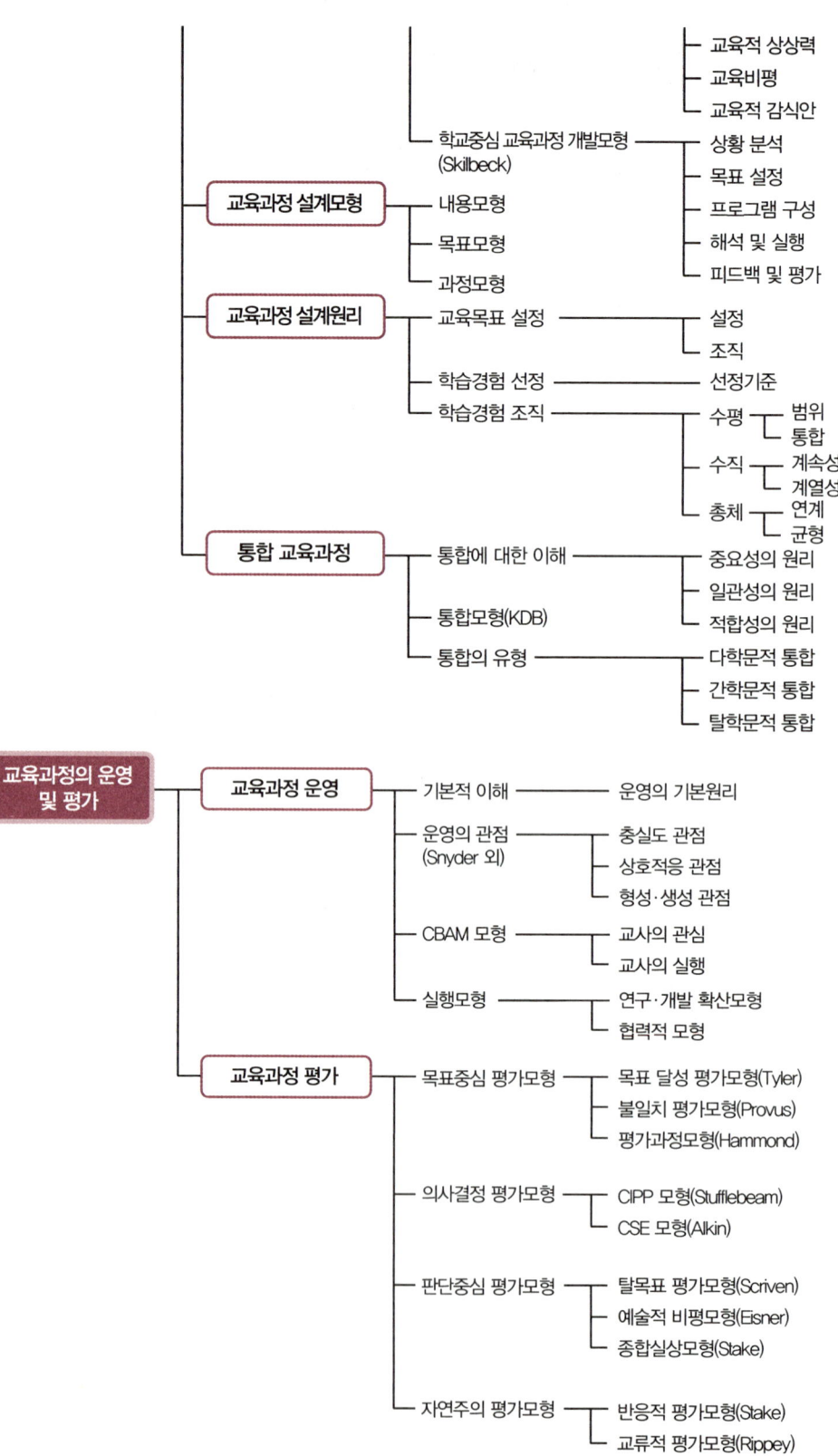

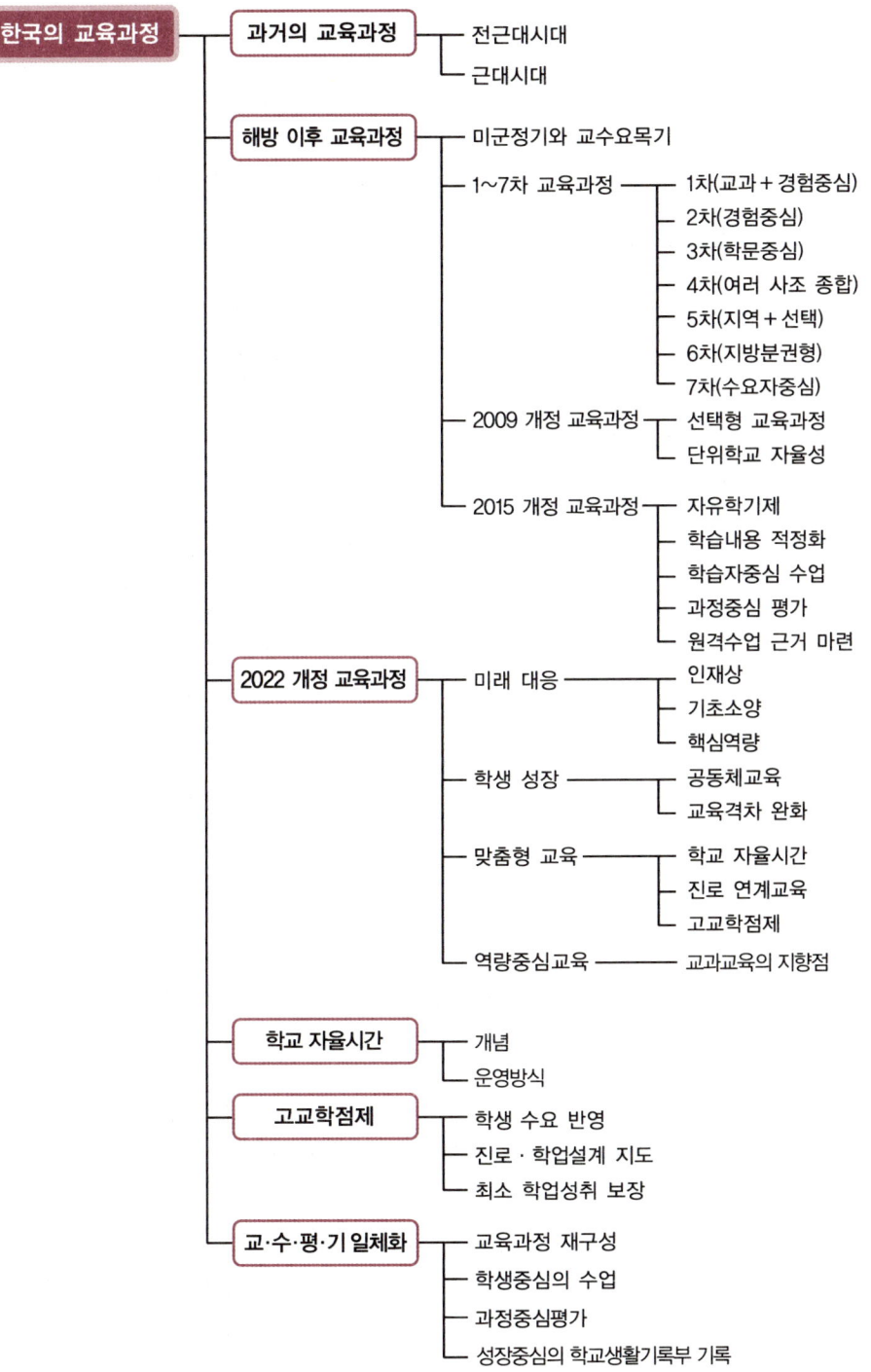

Mind Map

III 교육방법

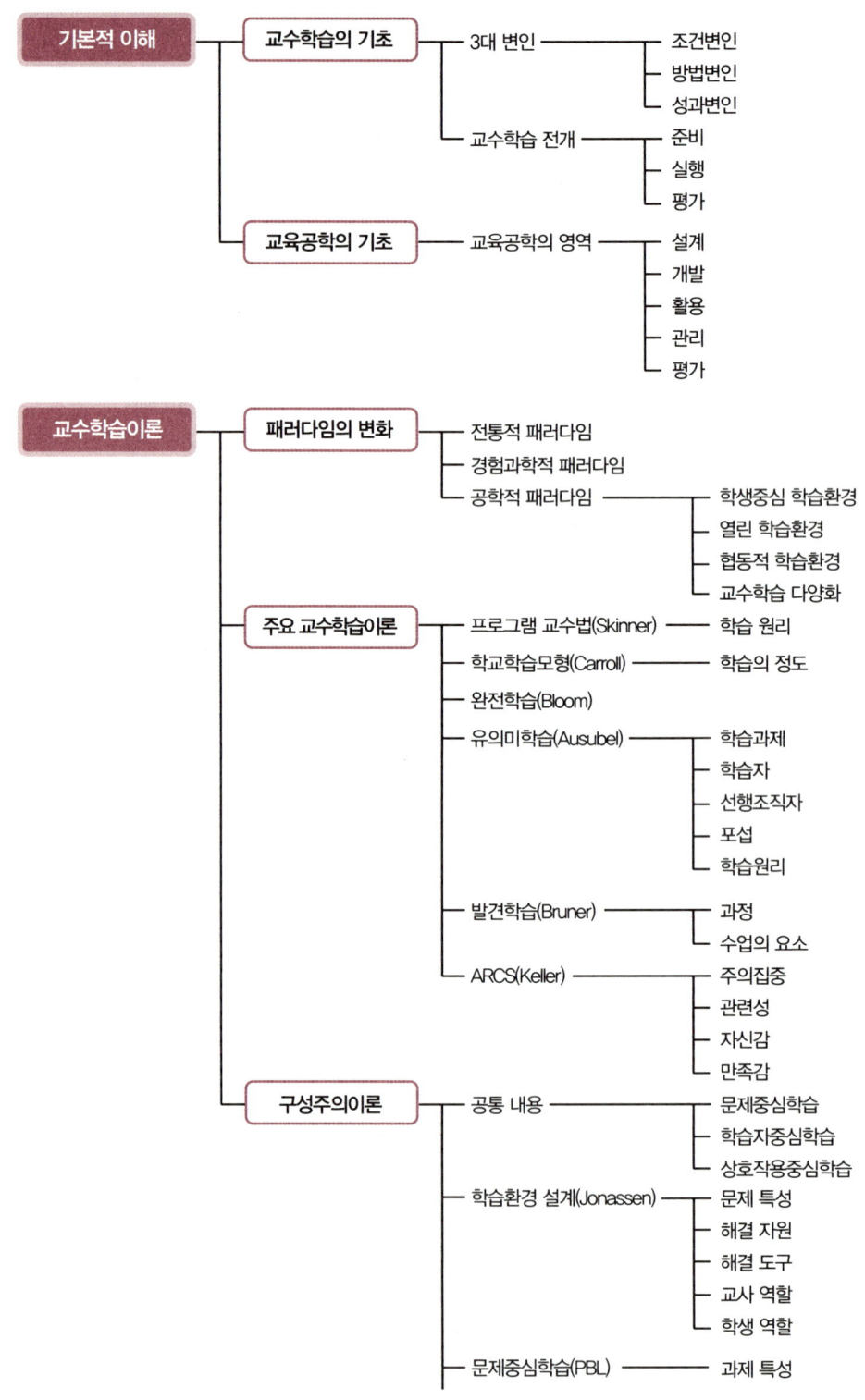

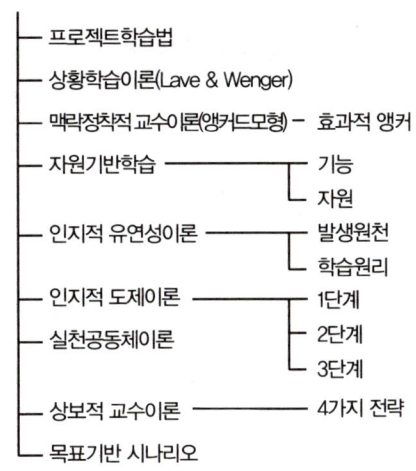
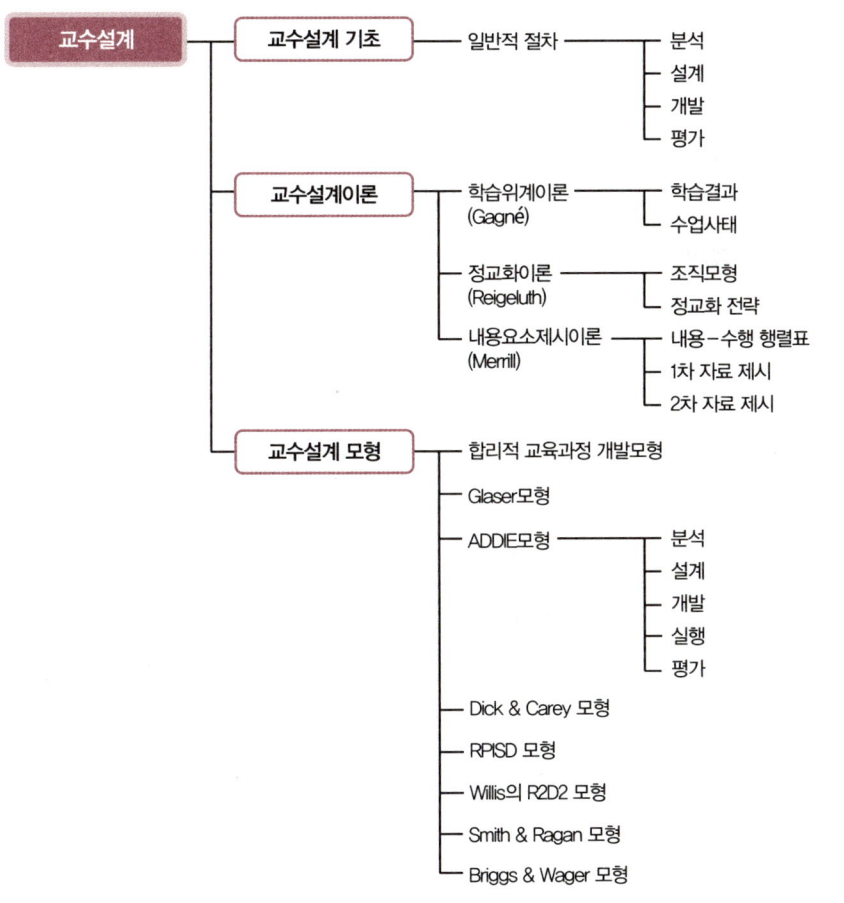

Mind Map

III 교육방법

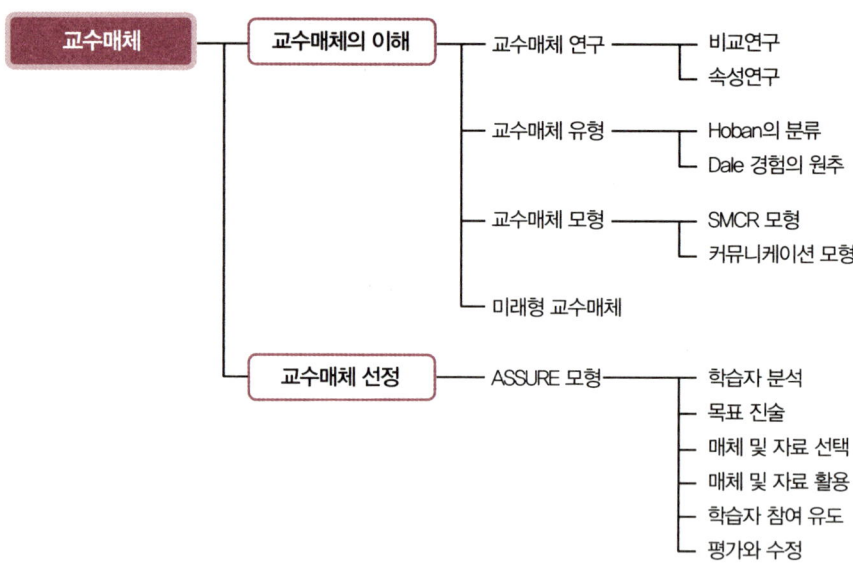

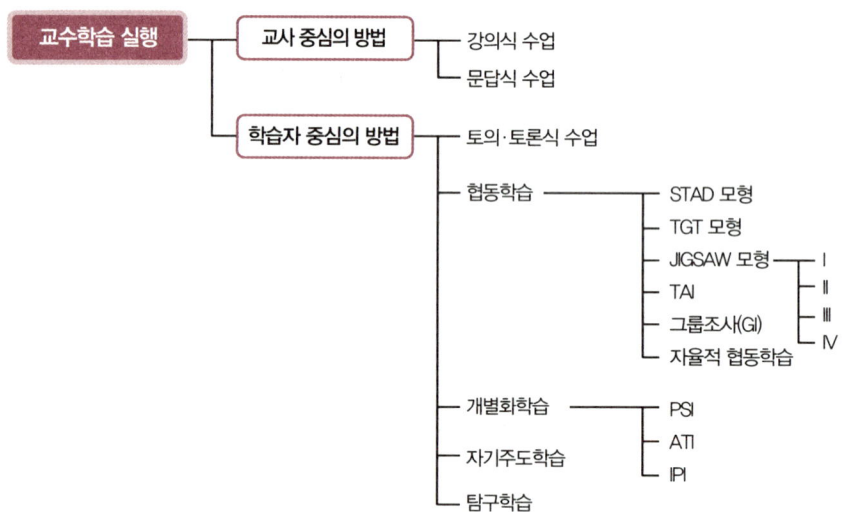

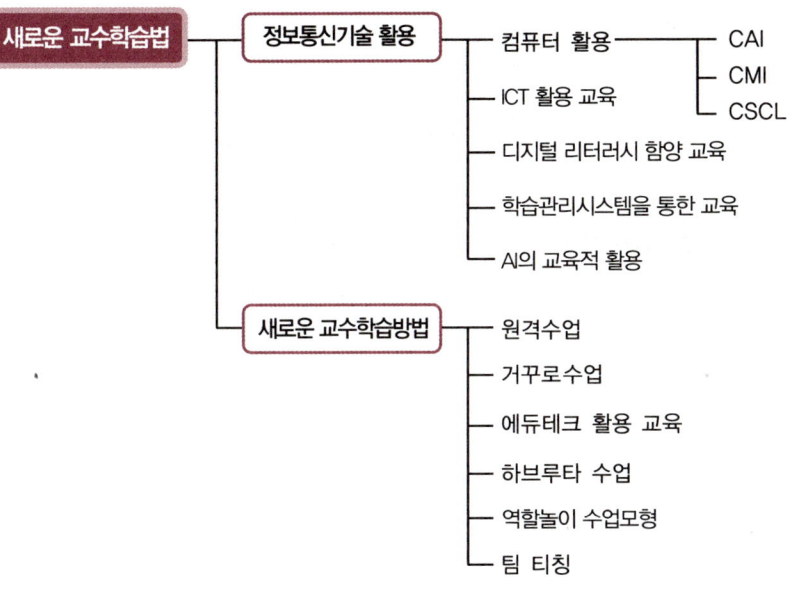

Mind Map

IV 교육평가

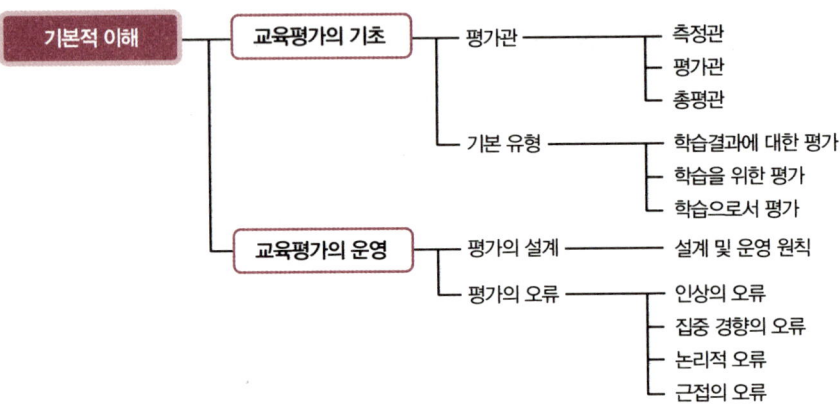

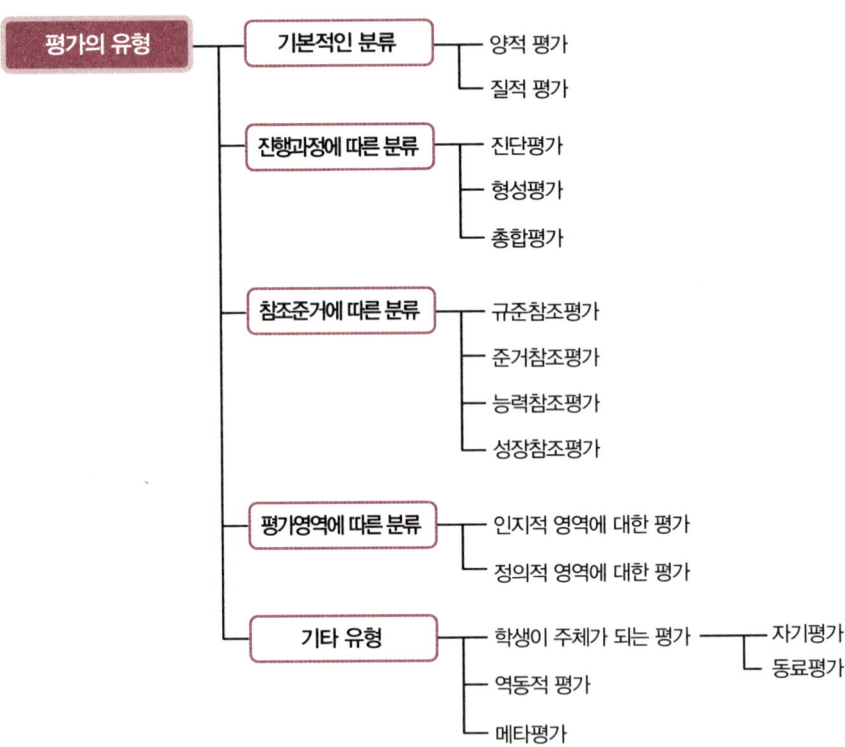

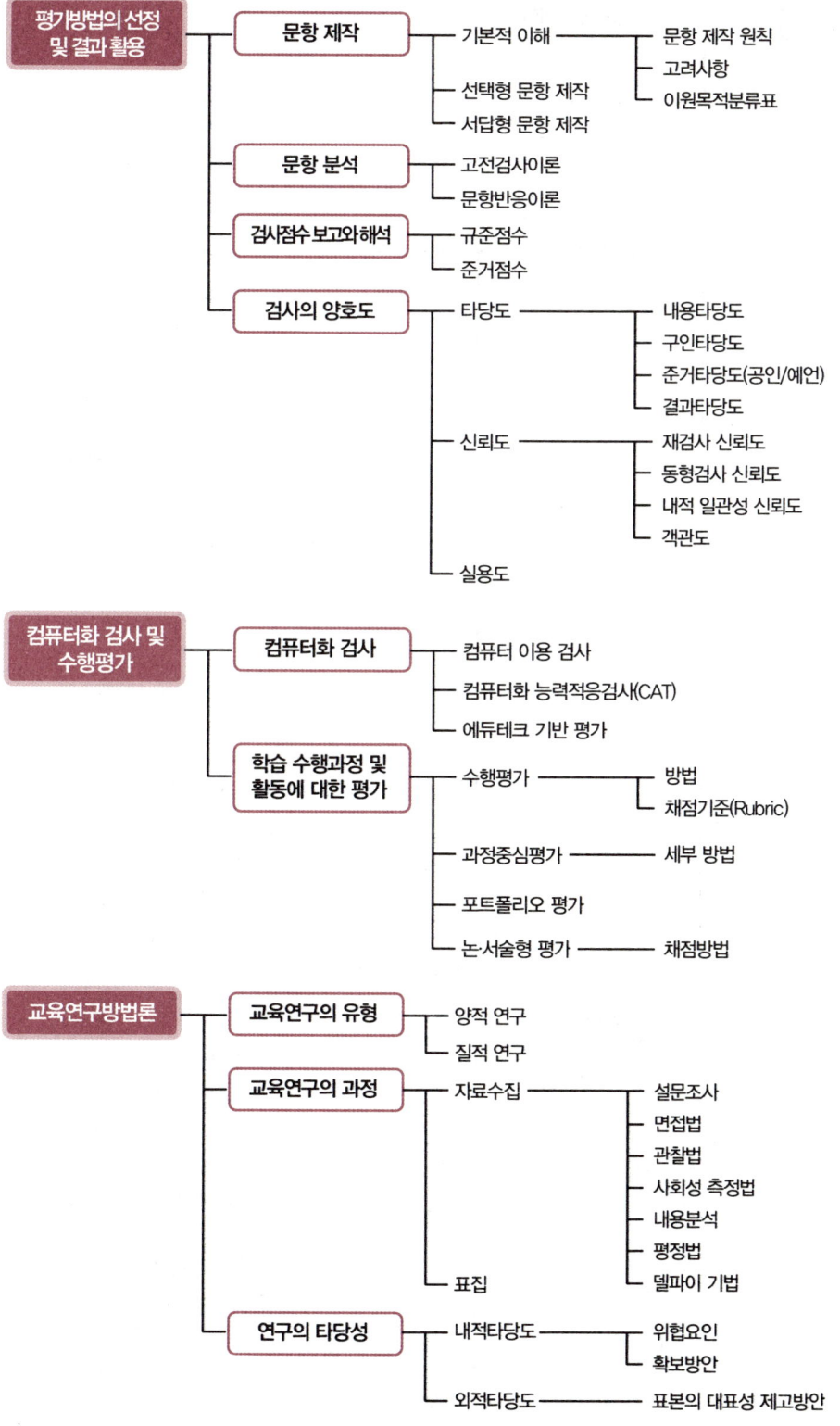

Mind Map

V 교육심리학

- 기본적 이해
  - 교육심리학의 의의
  - 연구방법

- 학습자 이해
  - 학습자의 지능
    - 지능의 관점
    - 지능이론
      - 일반요인이론
      - 다요인이론
      - 다중지능이론 — 유형
      - 삼원지능이론
        - 분석적
        - 창의적
        - 실제적
      - 감성지능이론 — 요소
    - 지능의 측정
  - 학습자의 창의성
    - 창의성의 요소
      - 인지적
      - 정의적
    - 창의적 사고과정
      - 준비
      - 배양
      - 영감
      - 검증
    - 창의성 검사
    - 창의성 함양방법
      - 브레인스토밍
      - 강제연결법
      - PMI
      - SCAMPER
      - 속성열거법
      - SIX-Hat
      - 시네틱스
    - 교사의 역할
  - 학습자의 자기주도성
    - 함양방법
    - 수업전략
      - 모델링
      - 성취동기 자극
      - 메타인지 활용방법 교수
  - 학습자의 개인차
    - 학습양식
      - 장독립-장의존
      - Kolb의 학습유형
      - 숙고형-충동형
      - Sternberg의 사고양식
      - Dunn & Dunn 유형
      - 좌뇌형-우뇌형
    - 사회·문화적 다양성
    - 영재교육
    - 특수교육

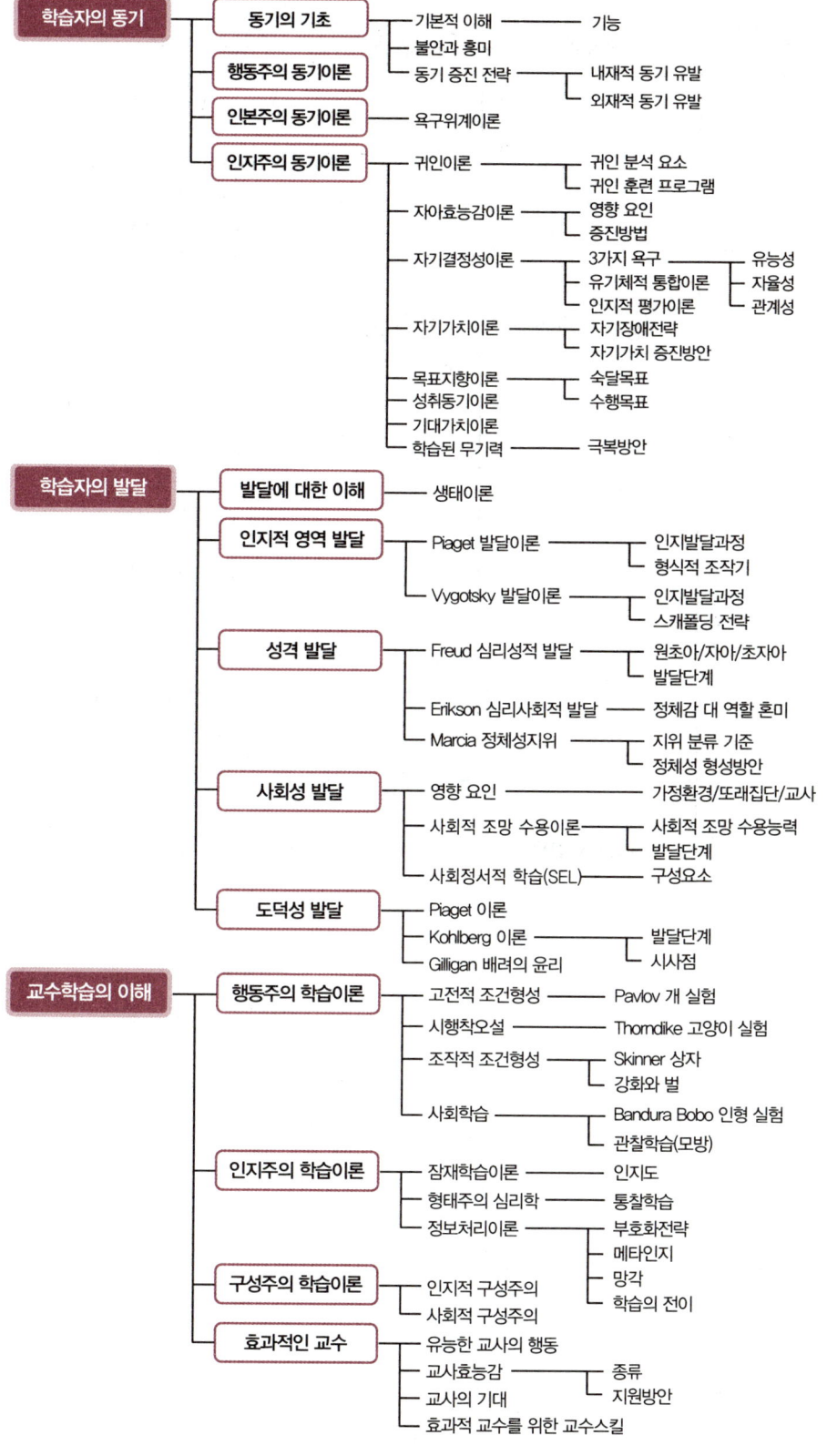

Mind Map
VI 생활지도 및 상담

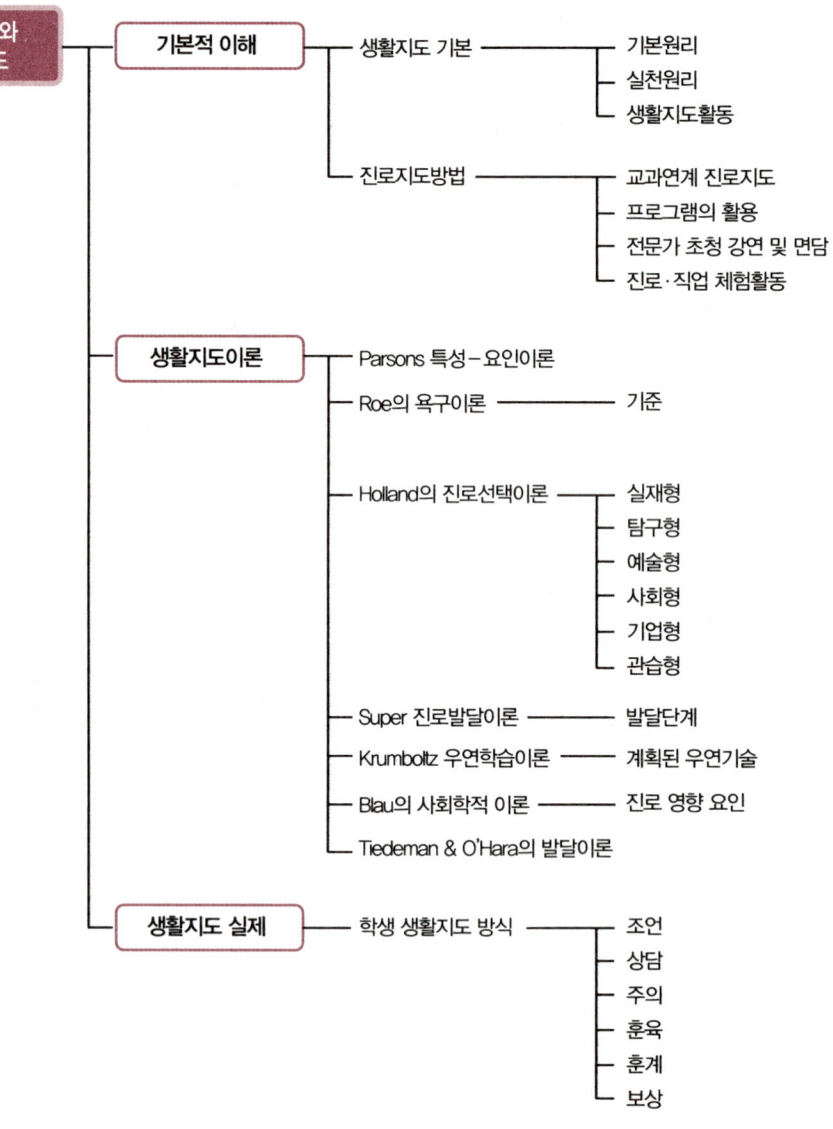

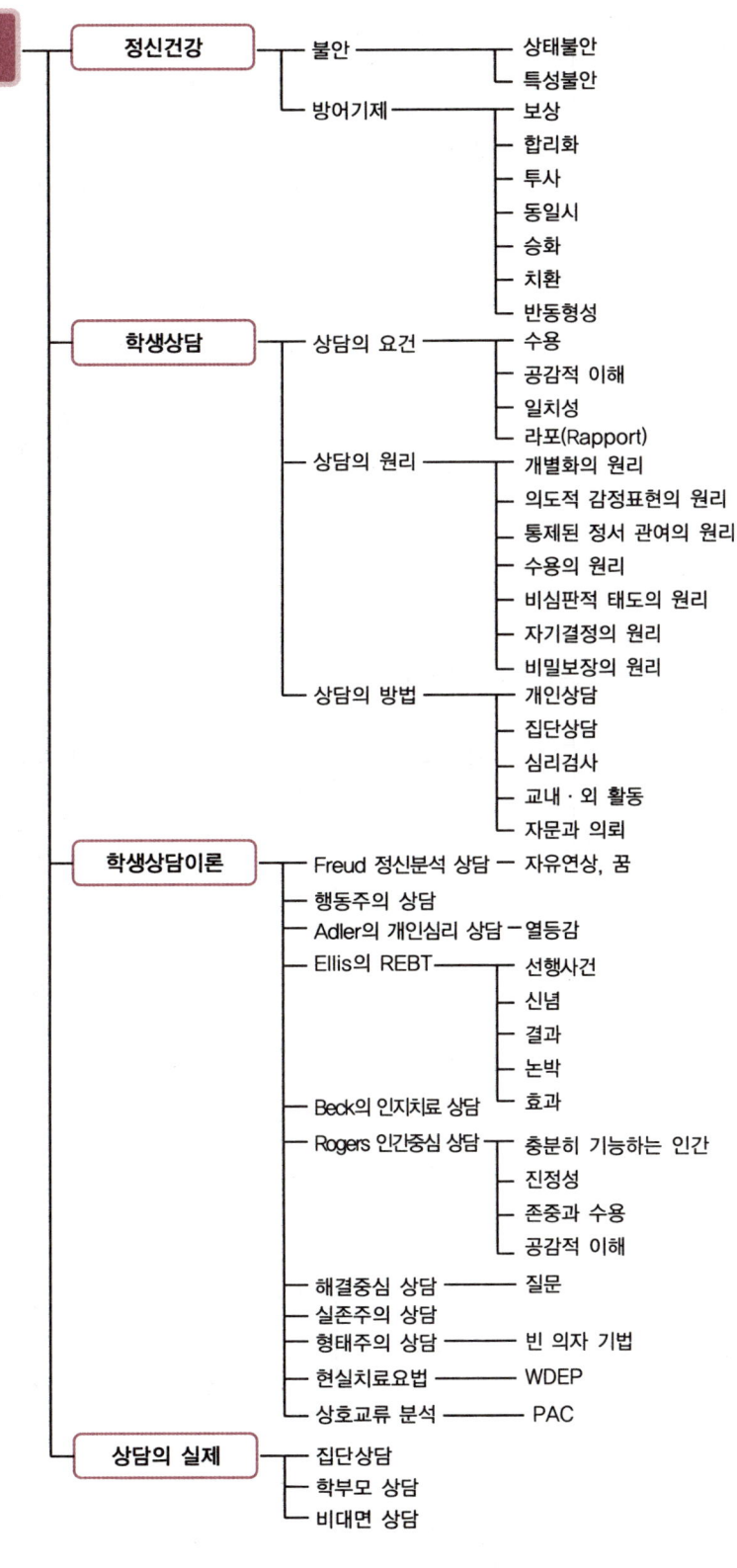

Mind Map

VII 교육행정학

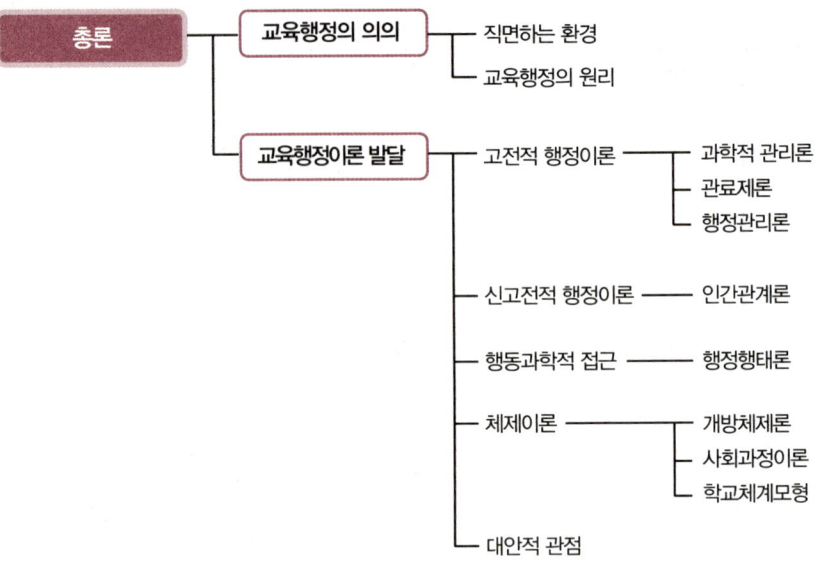

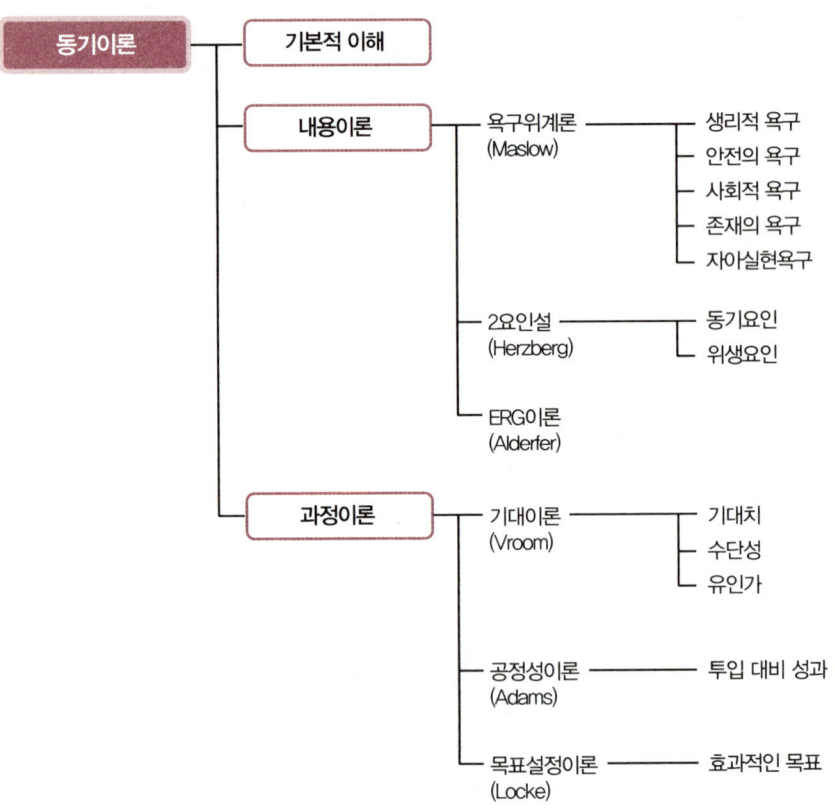

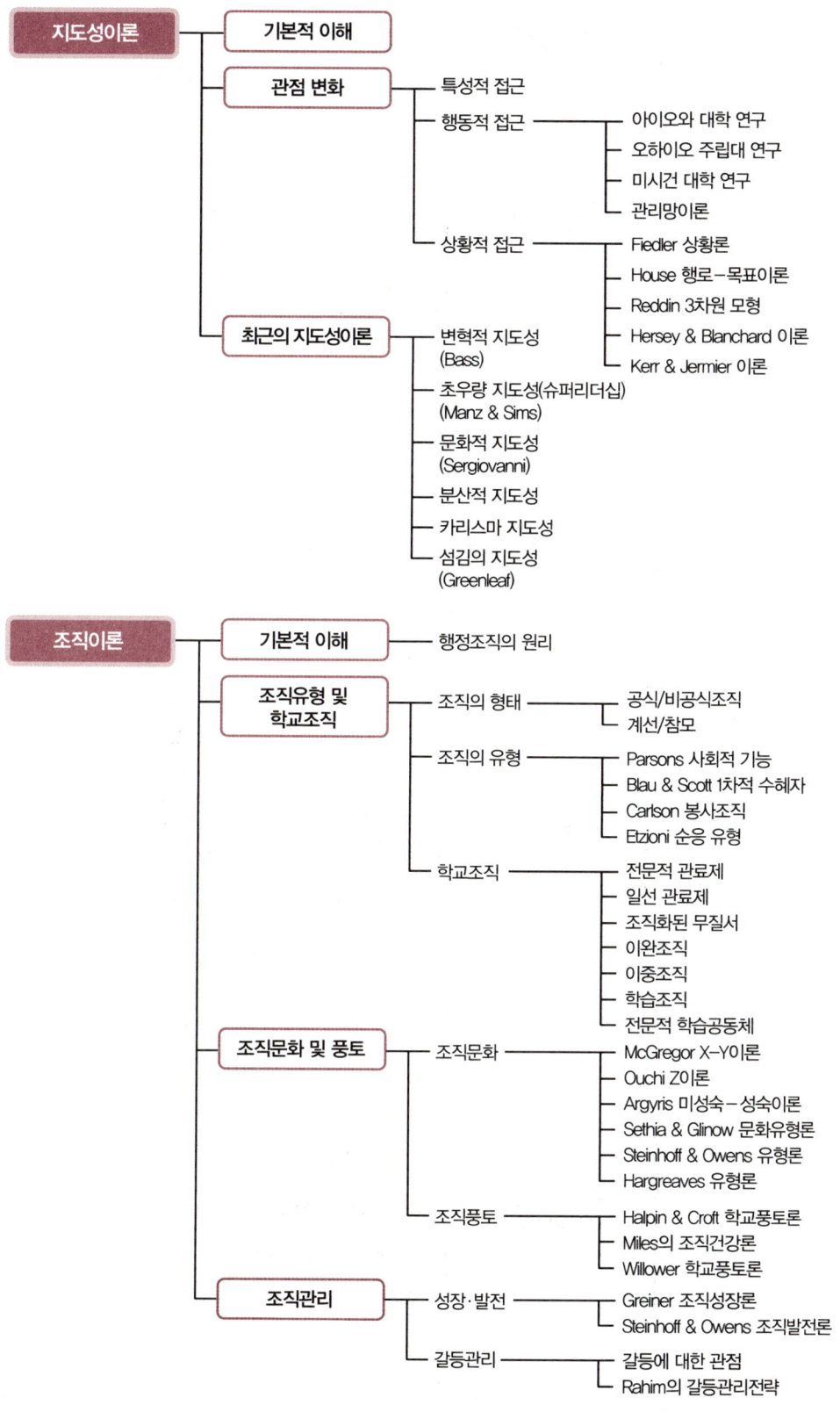

Mind Map

VII 교육행정학

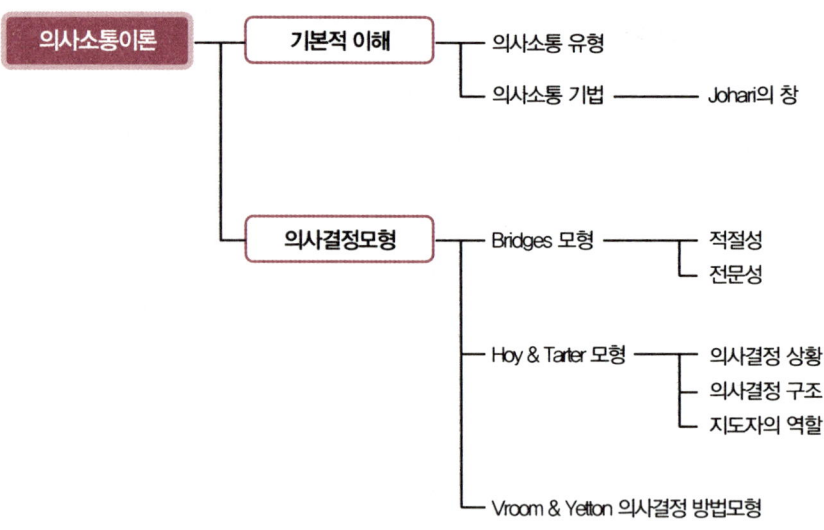

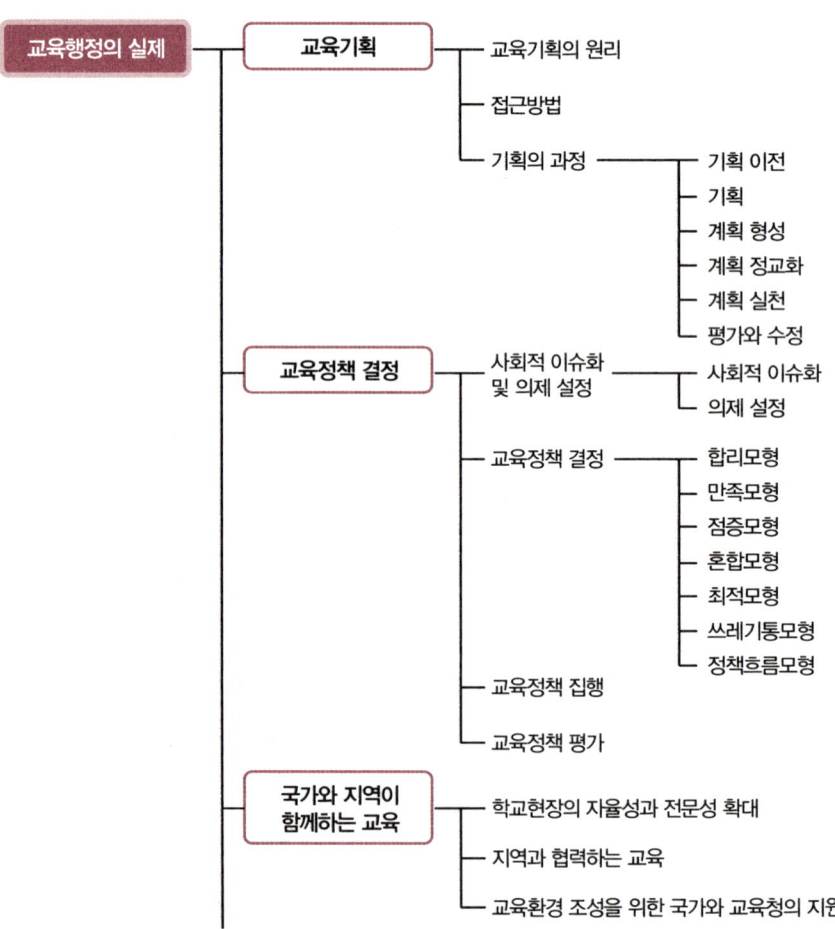

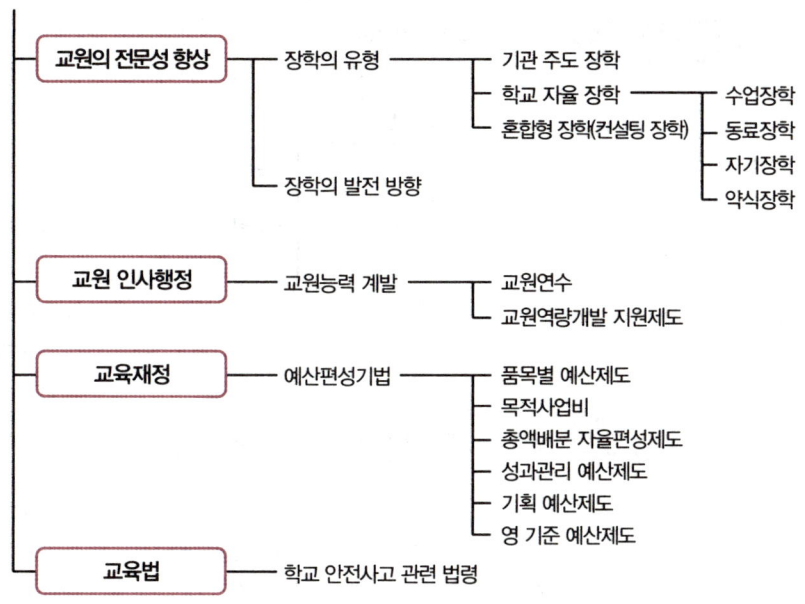
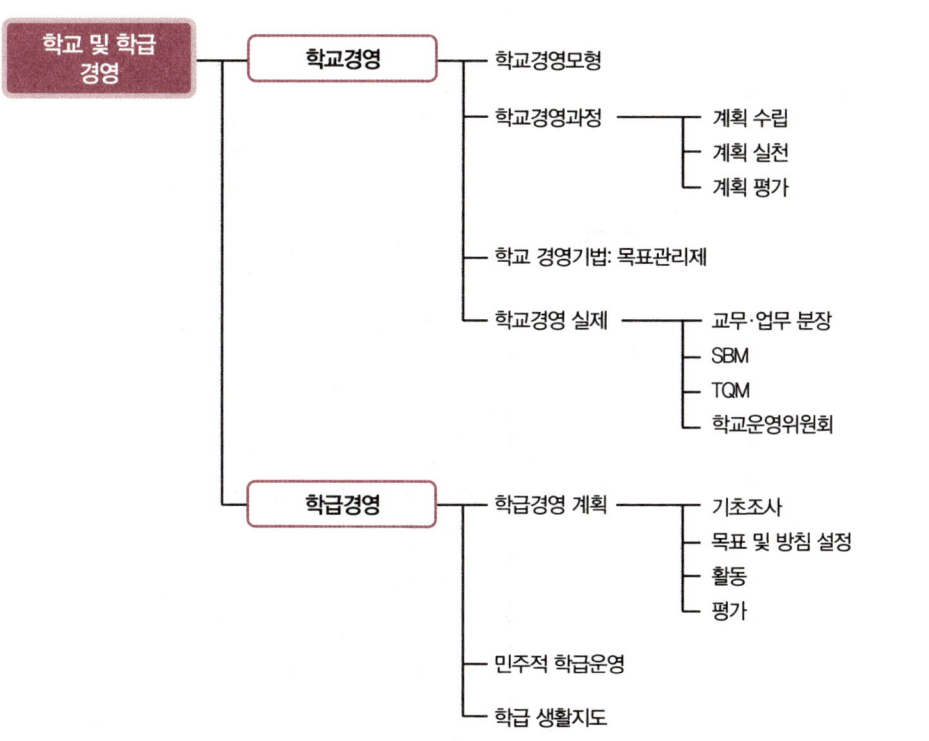

Mind Map

VIII 교육사회학

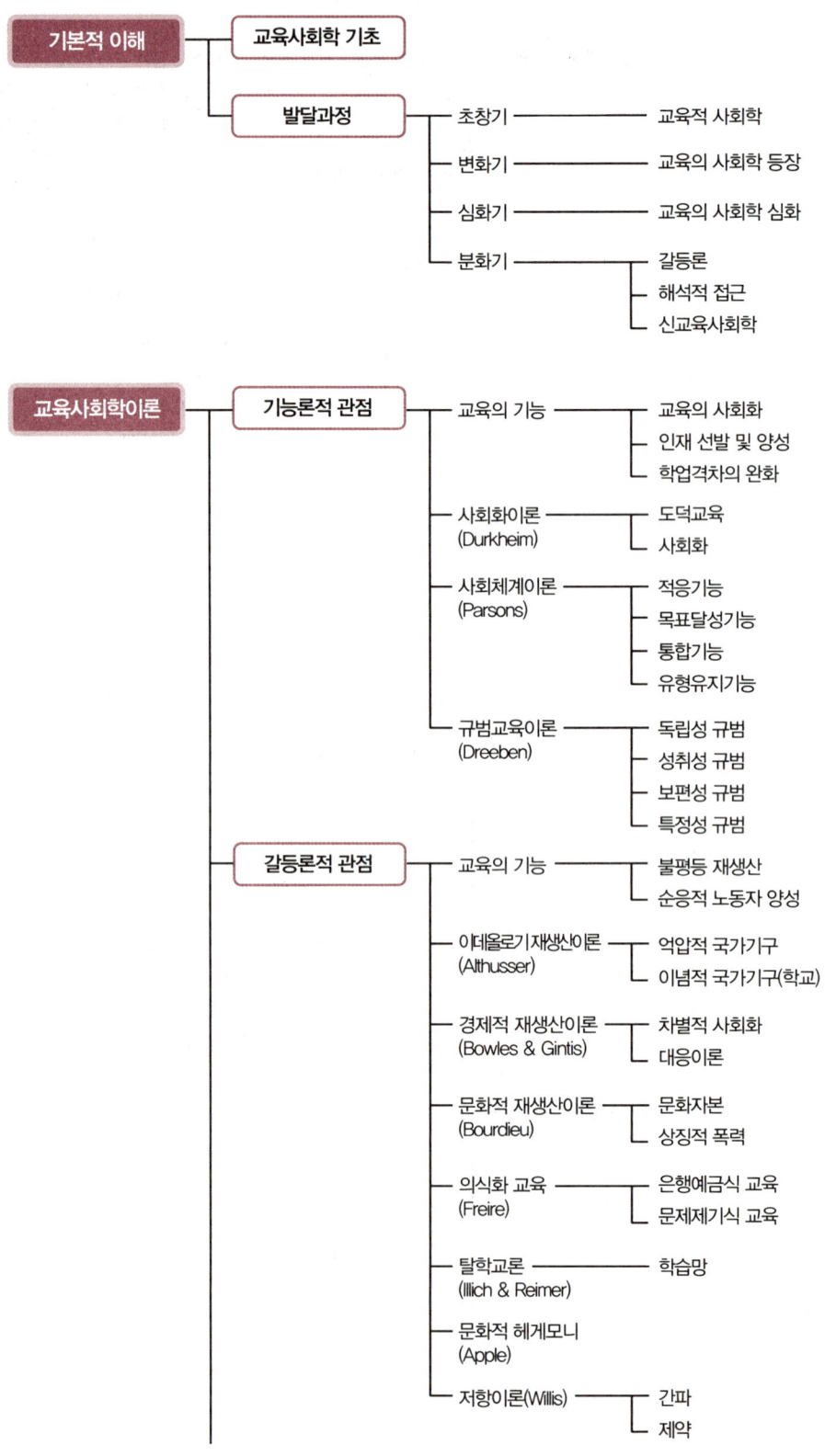

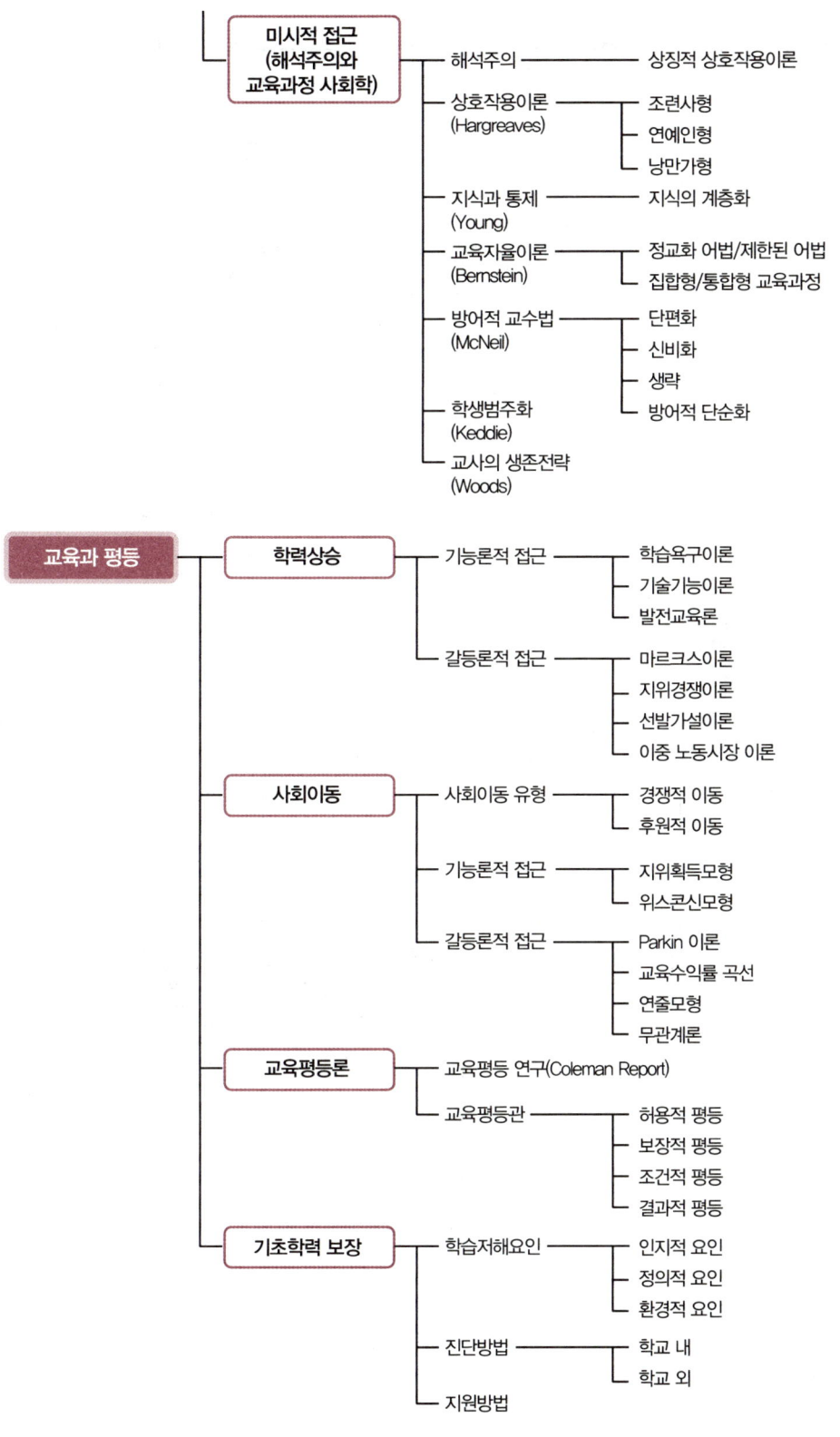

Mind Map

VIII 교육사회학

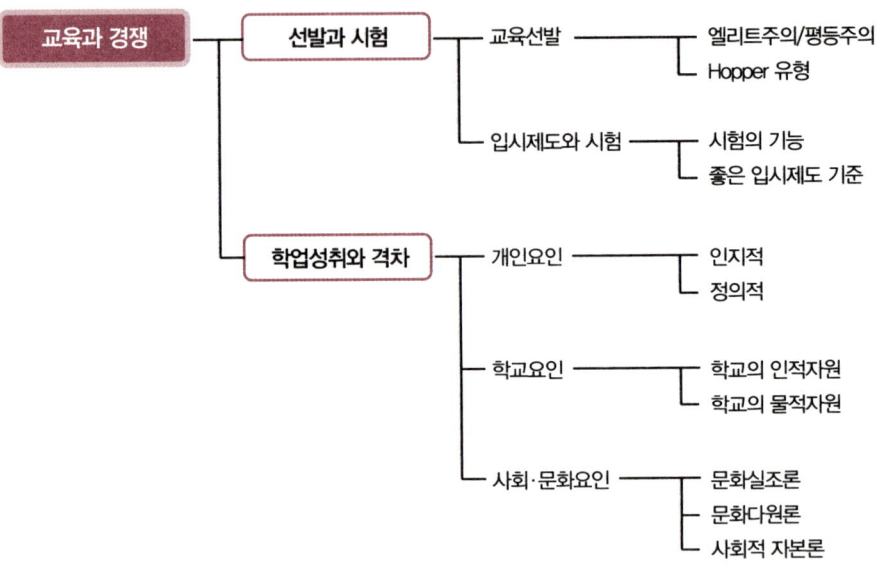

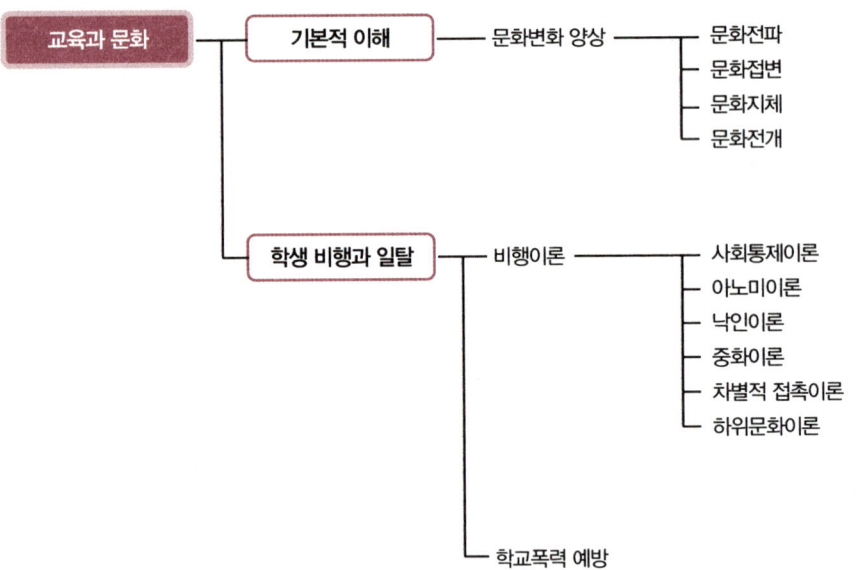

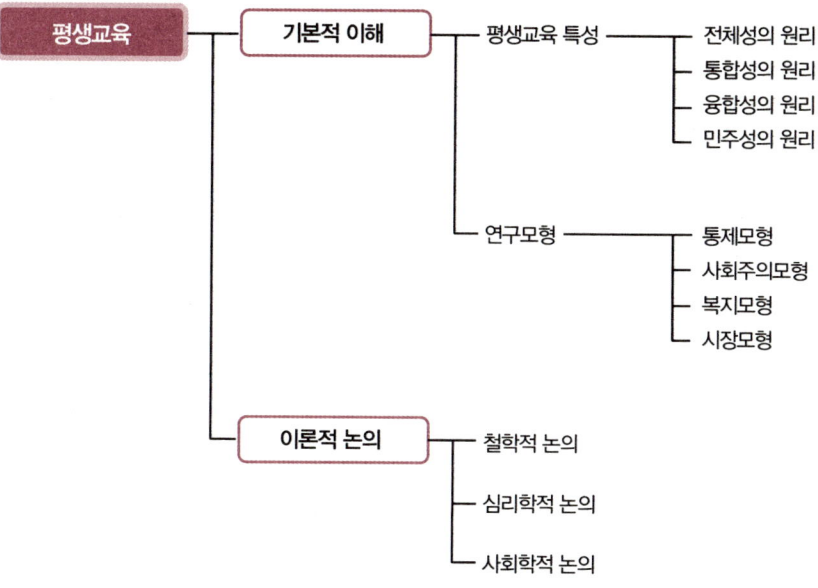

최원휘 SELF 교육학

미라클모닝 300제

제1판발행 | 2023. 7. 15. **제2판인쇄** | 2025. 7. 1. **제2판발행** | 2025. 7. 7. **저자** | 최원휘
발행인 | 박 용 **발행처** | (주)박문각출판 **등록** | 2015년 4월 29일 제2019-000137호
주소 | 06654 서울특별시 서초구 효령로 283 서경 B/D **팩스** | (02)584-2927
전화 | 교재 문의 (02) 6466-7202, 동영상 문의 (02) 6466-7201

저자와의
협의하에
인지생략

이 책의 무단 전재 또는 복제 행위는 저작권법 제136조에 의거, 5년 이하의 징역 또는 5,000만 원 이하의 벌금에 처하거나 이를 병과할 수 있습니다.

ISBN 979-11-7262-903-8 | ISBN 979-11-7262-902-1(Set)
정가 26,000원(분권 포함)